新潮文庫

六番目の小夜子

恩田　陸著

新潮社版

6611

目次

六番目の小夜子

プロローグ

　こんなゲームを御存知であろうか。

　まず、トランプのカードを用意する。ゲームに参加する人間が八人ならば八枚。中に、スペードのジャックとジョーカーを混ぜておく。その八枚のカードを裏返しにして、一人ずつカードを引く。スペードのジャックを引いた者は『探偵』だ。そして、ジョーカーを引いた者は『犯人』だ。さあ、あなたも一枚引こう。『探偵』に当たった者は名乗り出る。『犯人』は黙っている。これで準備はおしまいである。

　あなたの引いたカードは、どちらでもなかったようだ。さて、八人は、お互いの顔がよく見え、おのおのが言葉を交わせるような距離に座る。寛《くつろ》いだ、親密な、それでいて少しよそよそしい位置に。さあ、みんなで雑談を始めよう。内容はなんでもいい。ゆうべ見たテレビの話、電車の中にいた変なおじさんの話、友人のB君が行方不明だった彼の猫をどうやって発見したか——とにかく、誰でもいいから相手をつかまえてえんえんと談笑しよう。ただ、あなたは、話をしているあいだは、相手の顔をじっと見ていなければならない。そして、一人だけではなく、入れ替わり立ち替わり全部のメンバーと話をしなければならないのだ。

八人はなごやかに話し続ける。しかし、ある瞬間、それまで笑顔を向けてあなたと話をしていた相手が、バチッと大きく目くばせする。そう、その人物は『犯人』だったのだ。この瞬間、あなたはその人物に殺されたのだ。あなたは殺された。しかし、被害者は『犯人』を逃がさなければならない。あなたはゆっくり心の中で五つ数えてから、突然「死んだあ！」と叫ぶのだ——

ここでゲームはいったん中断する。『探偵』はぐるりとみんなを見回して、『犯人』を当てなければならない。もし一度で当てられなければ、ゲームは再開される。再び八人は何食わぬ顔で話を始める。『犯人』が『探偵』によって発見され、捕まえられるまで、このゲームは続けられる——

私たちの学校のある『行事』は、ちょうどこのゲームに似ていた。

それがいつ始まり、誰が始めたのかは、正確には分からない。しかし、それは、三年に一度、必ず行われるのだ。

それは、他愛《たわい》のないしきたりだった。なんの意味もない。それをしたからといって、どこかで表彰されるとか、栄誉を与えられるとかいうわけでもない。しかし、それでもその『行事』は行われた。

今、紹介したゲームの『犯人』にあたる者は、それでは『サヨコ』と呼ばれた。『サヨコ』になる者は、『サヨコ』自身と、その『サヨコ』を指名する、前回の『サヨコ』しか知らない。

次の『サヨコ』は、前回の『サヨコ』がいる代の卒業式当日に引き継がれる。在校生が卒業生に花束を渡す時に、あるメッセージが次の『サヨコ』となるべき者に手渡されるという。それを受けとった『サヨコ』は、『サヨコ』になることを承知したという証拠に、四月の始業式の朝、自分の教室に赤い花を活《い》けなければならない。赤い花が活けられた瞬間から、その年のゲームはスタートするのだ。

『サヨコ』のすべきことはたった一つ。年にただ一つだけである。それさえ誰にも自分が『サヨコ』であることを悟られることなくやりとげれば、それがその年の『吉《よ》きし』であり、その年の『サヨコ』は勝ったのだ。

私たちの卒業する年、その年は『六番目のサヨコの年』と呼ばれていた。そしてそれは、あの、不思議な暗喩《あんゆ》に満ちた、恐るべき一連の出来事を引き起こしたのである。

『六番目のサヨコの年』。その四月の始業式の朝、この物語は始まる。

春の章

——その朝、彼らは静かに息をひそめて待っていた。

春らしい、柔らかで冷たい陽射《ひざ》しを気まぐれに覗《のぞ》かせながら、厚い雲が彼らの頭上を覆《おお》い、時に低く垂れこめ、あるいは黒く影を落として、ゆっくりと流れていく。

理由のない胸騒ぎが心をかすめるのにも似た風景だった。

彼らの見掛けの姿は、古びて色彩にも乏しい。もはや呼吸をしていないのではないかと思えるほどだ。しかし、そのしなびた皮膚の下には、いつも新しい、温かい血液が豊かに波打っているのだった。

彼らの足元には、やや水量を増したそっけない川が流れている。そのせいか、彼らは空から見ると一本の細い橋につながれた島に見えた。彼らはいつもその場所にいて、永い夢を見続けている小さな要塞《ようさい》であり、帝国であった。

彼らはその場所にうずくまり、『彼女』を待っているのだ。

ずっと前から。そして、今も。

顔も知らず、名前も知らない、まだ見ぬ『彼女』を。

朝の学校は、なぜすべての罪を忘れたかのように新しいのだろう、と『彼女』は思った。

空気は何も知らぬ子供のようにエネルギーに満ち、生き生きとした静謐《せいひつ》さにピンと肌を張って、新しい音楽に耳を澄ますよう。

なのに、『彼女』は、こんなにも蒼《あお》ざめ、自分の心臓の音に発狂しそうになっているのだ。

『彼女』は、自分に課せられた使命に、ほとんど気が遠くなりそうだった。これからの長い一年のことを思うと、子供の頃、喘息《ぜんそく》の発作を起こした夜のことが二重写しに頭をかすめる。あの、発作が始まる寸前の、確信と、あきらめと、絶望の入り交じった予感が。

みんな――今までのサヨコたちはみんな――こんな、恐怖とも、興奮ともつかぬぐちゃぐちゃした感情を一人で抱え、一人で乗り越えてきたのだろうか？

過去五人のサヨコのうち、実に三人が『失敗』していた。そのうちの一人は、あまりの恐ろしさに、自らサヨコであることを暴露してしまったのだ。また、別の一人は、何もしなかった。誰であるかもわからなかった代わりに、何もしなかったのだ。その無言のサヨコがよりによって自分にあの鍵《かぎ》を渡すとは――

『彼女』は、手に持った花束を握りしめた。束ねた花の茎が、まるで針金のように固く冷たく感じられた。

なぜこんなことをするんだろう。

『彼女』は、それまで一万回くらい考えたことを再び考えた。なぜこんなしきたりを守り続けるのだろうか。いちばん最初の『サヨコ』は、いったいどんなつもりでこんなことを始めたのだろう。

『彼女』はどことなくうしろめたそうな表情を浮かべ、左右をきょろきょろと見回してから、こそこそ隠れるように玄関に入っていった。

老朽化した校舎の玄関は非常に暗く、入った瞬間は真っ暗に思える。カビくさい下駄箱の臭《にお》いが足を踏み入れた瞬間に鼻をつき、賑《にぎ》やかでけたたましい学校生活に何週間ぶりかで戻ってきたことを実感させる。しかし、その懐《なつ》かしい匂《にお》いを嗅《か》ぐのと同時に、『彼女』はもうひとつ別の匂いを嗅いでいた。古い、ほこりくさい校舎の匂いとは無縁の、甘くかぐわしい香り。

――花の香り？

一瞬夢の中にでも引き込まれたような心地になったが、次の瞬間、
かたん

という音がした。

『彼女』はサッと緊張した。この時間に姿を見られるということは、自分が『サヨコ』であるということを知られることを意味している。この日、この時間に、こんな花束を持ってうろうろしているのはサヨコだけだからだ。

いくらなんでも、まだ始まってもいないこのゲームをしょっぱなでゲーム・オーバーにする気は『彼女』にはなかった。今、こんなにも心臓が破裂してしまいそうに怯《おび》えきっているとしても、だ。一年間、いや卒業後も『間抜けなサヨコ』として――一日目にバレてしまったサヨコとして語り継がれるにちがいないのだから。

――しかし、それにしてもふとどきな奴《やつ》だ。

『サヨコ』の姿を見よう、知ろうとすることは、ある意味ではタブーであり、恥ずかしいこととされていた――なんせ、全校生徒が共犯者なのだ。『犯人』は逃がさなければならないのだ――

急にむくむくと、不条理な怒りが込み上げてきた。ついさっきまでビクビクして、自分の責任の重さに泣き出したいような気持ちで校門への橋を渡ってきたばかりだというのに。『彼女』は音のする方へ足早に向かった。

人のいない廊下や階段はひっそりとして肌寒い。

――二階だ。

かすかにパタパタと上履きで歩いて行く音がする。足音は落ち着いていて、別にその存在を隠そうともしていないようだ。

――誰だろう。新入生か？　まさかね。

ついつい忍び足になる。

ジャーッと水を流す音がする。

二階への踊り場で耳を澄ましていた『彼女』は、罅《ひび》の入った壁に沿ってゆっくりと階段を上がっていった。

階段の上にポッカリと開いた窓が見え、明るく寒々とした春の空が広がっていた。そしてふわりと、さっき玄関で嗅いだのと同じ甘い香りがした。

『彼女』はゆっくりと階段を登り、チラリと二階の廊下を覗いた。

そのとたん、ギュッと心臓を鷲《わし》づかみにされたような気がした。

一人の髪の長い少女が、ピタリとこちらに視線を向けて廊下の真ん中に立っていた。まるで『彼女』が来るのを待っていたかのように、まるでそこから『彼女』が覗くのを知っていたかのように。

「ひ」

『彼女』はゴクリと喉《のど》を鳴らした。

知らない顔だ。スラリとした、黒目の大きな、聡明《そうめい》そうな、そしてどこか不吉な顔。

新入生ではない——同じくらいの歳《とし》だ。

何より『彼女』が驚いたのは、その少女が腕に真っ赤なバラの花束を抱えていたことだ。

あの甘い香りはこれだったのか——しかし、なぜこの子が『赤い花束』を抱えて、こんな時間にこんなところに立っているのか？

何か話しかけるべきだろうかと頭の片隅で言葉を探しながら、『彼女』はさらに、少女が持っている、真紅のバラの活《い》けられた花瓶を見て、凍りついたような表情になった。

あれは——あの花瓶は——『彼女』がこれからあの鍵で開けて出そうとしていたあの花瓶ではないか。大きな、赤い梅の模様の入った、日本画風の図柄の、華やかな印象を与える、確かにあの花瓶だ。どうやって取り出したのだ？　いったい誰だ、この子は？

じっとこちらを見つめて無表情に立っていた少女は、やがてにっこりと微笑《ほほえ》んだ。それは花のような微笑で、普通の状況で見れば、この少女がたいへんな美少女であることに気付いたはずだった。

しかし、『彼女』は既にいわれのない恐怖に襲われていた。

「**あなたも**赤い花を活けに来たの？」

少女はゆっくりとそう言った。

その言葉がどこでどう『彼女』の恐怖を煽《あお》ったのかは分からない。しかし、次の瞬間、

『彼女』は手に持っていた花束を投げ出し、慌《あわ》ててその場から逃げ出していた。頭の中が真っ白になり、どこかで一斉に鐘が鳴り出す。階段がぐにゃりと曲がる。魚眼レンズで見たように踊り場が飛び出して来る。その歪《ゆが》んだ風景の中を、『彼女』は一目散に駆けていった。

取り残された少女はポツンとその場に立っていた。

「ずいぶんな挨拶《あいさつ》じゃない」

少女はぼそりと呟《つぶや》き、足元に散らばっている赤いチューリップの花を見下ろし、自分の腕の中の赤いバラを見下ろした。

「可哀想《かわいそう》に、せっかくのチューリップが」

見下ろしている少女の顔に、長い髪が背中からパサリとかかった。次に顔を上げた時、少女の顔は、もとの全くの無表情に戻っていた。

開きかけた桜の花が、かすかに揺れている。

花宮雅子《はなみやまさこ》はゆっくりと校門に向かって歩いていた。

彼女は春という季節があまり好きではなかった。

新しいクラス、新しい友人、新しい教科書、新しい一年。新しい環境というもの自体、人見知りの激しい彼女には苦手だった。みんながクラスに馴染《なじ》み、クラスがまとまりを見せるまでの居心地の悪さと緊張が嫌だった。そして、何かを始めなければというプレッシャーときたら——春は苦手だ。

しかも、今年は三年生だ。彼女なりに慈《いつく》しんできた高校生活もあと一年でおしまい。さらにもっと広いところに出て行かなければならない。漠然とした不安を感じつつも、彼女の目は柔らかく揺れる桜の花を追っていた。

どうして学校には桜があるんだろう。

雅子はふと疑問に思った。学校にはいつも必ず桜があった。この国は、いつも桜とともに新しい年月を始めるのだ。

彼女は入学式のことを思い浮かべる。真新しいセーラー服を着て、初めてこの門をくぐった時の感激。長い伝統があり、県下一の名門校と言われるこの高校の一員となったことに胸を躍らせながらも、自分がちゃんとその中でやっていけるかどうか不安でたまらなかった。あの日も、樹齢百年を超えるという大きな桜の木が、見事に煙るように咲き誇って視界に飛び込んできた——こうして、春の新しい記憶、新しいページとともに、桜の花はある種の感慨をもって、人々の心にインプットされていく。

校門近くのロータリーに、新しいクラスの名簿が貼《は》りだされ、既に大勢の生徒たちがガヤガヤと騒いでいた。

この学校では、三年生になると、志望別に文系、理系でクラスが五クラスずつに分けられ、さらに志望校の内容によってコースが分かれるため、個別の時間割が作られ、教科によってはそれぞれの授業のある教室に生徒が移動する。

溢《あふ》れる学生服とセーラー服に、雅子は圧倒されそうになる。

黒と紺の塊が、くっつき、離れ、思い思いのエネルギーを放射している。それでいて、塊全体が一つの意思を持ち、うごめいているかのようだ。

学校というのは、なんて変なところなのだろう。同じ歳の男の子と女の子がこんなにたくさん集まって、あの狭く四角い部屋にずらりと机を並べているなんて。なんと特異で、なんと優遇された、そしてなんと閉じられた空間なのだろう。

同じ学生でも、大学生とは違う。彼女にとっては、大学生はもう大人だった。彼らは既に社会の一部であるように見える。けれども高校生は、中途半端《はんぱ》な端境《はざかい》の位置にあって、自分たちのいちばん弱くて脆《もろ》い部分だけで世界と戦っている、特殊な生き物のような気がする。この三年間の時間と空間は、奇妙に宙ぶらりんだ。その宙ぶらりんの不安に、何かが忍び込んでくる。

「まあちゃん」

彼女の思考を、一人の少女の声がさえぎった。

「あれ、容ちゃん、オハヨ」

「同じクラスだよ、あたしと」

「えー、やったあ、良かったー」

雅子と同じバスケット部で、しかも一番の仲良しである沢木容子《さわきようこ》であった。どちらかと言えば静かでおっとりした印象の雅子に較《くら》べ、容子は小柄ではあるが、天然パーマの長い髪を青いリボンで結わえ、はっきりとした顔だちの、パワフルな雰囲気の少女である。

「何組なの？　あたしたち」

「ビリッケツの十組」

「十組ぃ？」

容子は雅子の手を引っ張って、生徒でごったがえす掲示板の貼り紙の前の方に割って入って行く。

雅子はちょっとどきどきしながら自分のクラスの名簿の、まず女子にザーッと目を走らせた。

うんうんなかなか妥当なメンツ。嫌いな子もいないみたい。容ちゃんがいれば安泰だな。男子は——

雅子はハッとした。名簿の中に、男子バスケット部で、ほのかに憧《あこが》れていた唐沢由紀夫《からさわゆきお》、の名前を見つけたからである。

「まあちゃん、がんばんのよ」

そのことをうすうす感づいていた容子が、雅子の脇腹《わきばら》をつっついた。

「やだ容ちゃん」

雅子は赤くなりながらも、ふと名簿の一番最後の名前が目に入った。

津村　沙世子

「――あたしが思うに、唐沢くんだって、絶対まあのこと気に入ってるよ。彼もてんのに未《いま》だに誰ともつきあってないのは、まあに気ぃつかってるからだと思うよ」

「ねえ、あんな人うちの学年にいたっけ？」

「またー、まあったら話そらそうとして――ん？　誰？　ツムラサヨコ？」

「いなかったよね、あんな人――」

一学年の人数はだいたい四百名あまり。そのうち女子は百五十名ほどなので、三年生になる頃には、同学年の女の子は互いにみんな顔と名前を覚えてしまう。

「名簿はアイウエオ順なのに、最後に離して書いてあるってことは、一つ上の学年の人で留学でもしてたのかなあ」

「でも、留学してた人って、たいてい九月か十月に戻ってきたじゃない」

「サヨコ――か。そういえば、今年は――」

雅子の記憶の底から、何かが形を取りながら浮かび上がってくる。

「はい！　そろそろ新しい教室に入ってーっ。九時から始業式だからなー」

突如、三年生の学年主任の宮脇が現れてしわがれ声で怒鳴ったのを合図に、ワッと生徒たちは玄関に駆け込んでいった。

雅子が『その感じ』を味わったのは、靴を上履きにはきかえ、中に入っていこうとした瞬間だった。

――ん？

いつも新学期の初めに学校に入る時、非日常的な空間に入っていくようなブレをほんの一瞬感じるのだが、その感覚がいつもより強かったような気がしたのである。

新しい教室に向かって階段を登っていく時も、『その感じ』は再びやってきた。それは、音も形もない波が、遥《はる》か彼方《かなた》から雅子の中へと打ち寄せてくるような感覚だった。

「サヨコが出た」

階段で、誰かが雅子と擦れ違う瞬間小声で囁《ささや》いた。

雅子はハッとして振り返ったが、それらしい者は見当たらず、ドヤドヤと男子生徒たちが大声で騒ぎながら階段を降りて行く姿が目に入っただけだった。確かに雅子はその声を聞いたのだ。それは息だけの囁き声だった――男の声か女の声かも分からなかった。

（サヨコが出た）

それはどういう意味だろう？

三年生の教室のある廊下は、出入りする生徒でごったがえしていた。しかし、雅子は、そのざわめきにいつもと違うものを敏感に感じとっていた。

——？

長い廊下に十クラスの教室が並んでいる。遠近法のお手本のように、灰色の直線がずっと奥まで続いている。全く色のないモノトーンのこの風景の中に、ぽつんぽつんと一定の間隔をおいて赤いものが見える。

「何、あれ」

隣で容子がきょとんと呟く。

「なんのいたずらかしらん」

各教室の入り口の上のところに、一本ずつ花弁を下に向けた赤いチューリップが、茎の真ん中あたりを画鋲《がびょう》で留めてあるのだ。まるで、魔除《まよ》けのお札が貼ってあるようである。

『アリババと四十人の盗賊』みたい。

雅子はそのチューリップの前を通り過ぎながら思った。盗賊が扉に付けた目印を隠すために、ヒロインは同じ印を町じゅうの扉に書き込むのだ——

（ソウイエバコトシハ——）

その連想の底から、再び何かが浮かび上がってこようとする。

雅子と容子は、一番奥にある十組の教室へと急いだ。

十組の入口にはチューリップの花が留められていなかった。しかし、中に入った二人は思わず足を止めた。

教卓の真ん中に、満開の真紅のバラがどっさり入った花瓶が置いてあったのだ。

「うわあ派手ー」

容子は無邪気に声をあげる。

「誰よ、高そうな花」

しかし、容子はすぐに奥から手を振ってきた女の子たちのグループに駆け寄って話しこんでしまい、花のことなどすっかり忘れてしまっているようだった。だが、雅子は花から目が離せなかった。

こんな教卓のまん真ん中に――まるで見せつけるように、威圧するかのように――いったいどういうつもりだろう。

どん、と誰かが肩にぶつかった。

「おはよ」

はっ、と顔を上げると、そこには人なつこい目をした唐沢由紀夫の顔があった。

「あ、おはよ」

「同じクラスになんの初めてだね」

由紀夫は学生カバンを机の上に置きながら、きれいな歯を見せて笑った。雅子はどぎまぎする。

「う、うん」

「花宮さん、賢そうだからなあ、俺がバカなのバレちまうなあ」

「またあ」

「はい、唐沢、おまえがバカなのはもうみんなにバレてるから、とっとと出席番号順に座ってー」

そこに担任の黒川が飄々《ひょうひょう》と入ってきた。

日本史が担当の、この高校に十年もいる古株の名物教師である。この公立高校は、県下一の進学校というせいもあってか、若手の教師が少なく、ほとんどが地元出身の、とにかくマイペースで老獪《ろうかい》な親父《おやじ》が多い。おおむね生徒たちとは淡泊な関係だったが、中でも黒川は、めったに表情を変えず、本音も見せない不思議な男だ。何を考えているのか、機嫌がいいのか悪いのか、冗談を言っているのか本気なのか分からないので、生徒たちにけむたがられていた。がっちりした身体《からだ》に色黒の四角い顔、いつも同じ柄のジャケットを着て、べっこう色の眼鏡のフレームを、中指と親指でつまんで話をする癖がある。

「おお、綺麗《きれい》な花だねえ。まるで津村を歓迎しているようだね——なあ」

黒川がのんびりと後ろを振り返ると、一人の少女がスッと入ってきた。

その時、雅子は再び『あの感じ』を味わった。その少女が入ってきたとたん、さあっとひときわ大きい何かが流れ込んできたような錯覚を覚えたのである。

「賢い、キレイな転校生だからねー、みんな見とれるのは分かるけどね。はい、さっさと席に着くように」

黒川は池の鯉《こい》でも呼ぶようにパンパンと手を叩《たた》き、生徒たちは皆バタバタと目指す席に着いた。

——うっわーきれーい
席に着いた雅子は、さっき感じた違和感も忘れて黒川の隣に立つ少女を眺めた。

全体的にほっそりとしているけれども、ぎすぎすした印象はなく、清潔な女らしさが漂っている。足も腕もスラリと長い。漆黒の髪はストレートで肩の下までまっすぐ伸びており、きめの細かい色白の肌に、真っ黒な、瞳《ひとみ》の大きな目がひときわ印象的だ。眉毛《まゆげ》のスッとした線といい、きりっと結ばれた形の良い唇といい——

すごーい、グラビアか映画から抜け出してきたみたい。きれいっていうのはこういうことなんだなあ。感動しちゃうなあ——きっとさんざんちやほやされてきたはずなのに、そういう女の子にありがちな、見られ慣れたすれた感じがなくて、まだ自分の美しさを自覚してないみたいなところが神秘的でいいな。しかも、こんなに完璧《かんぺき》な美人なのに、とてもしなやかっていうか、人なつっこい感じがする――

雅子は観察しながら興奮し、同性ながら思わず見とれた。周りの生徒たちも同じような感想を持ったのか、華やいだ興奮でザワザワしている。

でも――と、一方で雅子の心が呟く。

こんな綺麗な子が同じクラスにいたら、唐沢くんだって――

チラ、と由紀夫の方を見ると、由紀夫もじっと瞬《まばた》きもせずに前に立っている少女を見つめている。

雅子の心配をよそに、由紀夫は全然違うことを考えていた。

いやー、こんなコが現実にいるんだなあ、男どもが喜ぶだろうなァ。それにしても――うちの学校に転入生だと？　テレビドラマにはあっても、現実問題として、うちみたいな県でも一、二を争う進学校に、ほんとうに編入なんかしてこれるものなんだろうか？（そういえば、昔、一度だけうちの学校に転校してきたケースがあったって話を聞いたことがある）

由紀夫はゴチャゴチャ理屈をこねてものを考えるのは得意ではなかったが、非常にカンの良いところがあって、自分でも単純にその直感を信じていた。彼は、このできすぎの転校生を一目見て、なんとなく嫌な感じがした。彼女は教室に入ってきて、真紅のバラの入った花瓶を見、一瞬妙に醒《さ》めた目付きで唇のはしをかすかに上げて、に、と笑ったのだ。その笑いがどうも彼は気に食わなかった。

ヘンな子だ、この子。

由紀夫は心の中で呟《つぶや》いてみた。

なんか、ヘンだ。

彼とは別に、もう一人この転校生に皆と異なる感想を持った生徒がいた。

由紀夫の斜め後ろに座っている、関根秋《せきねしゅう》という男子生徒である。

恵まれた体軀《たいく》に端整な顔だち。ふちなし眼鏡をかけていかにも頭の良さそうな風貌《ふうぼう》であるが、実際、成績もトップクラスの大人びた生徒であった。

――こりゃまた、どうしちゃったんだ！　予定よりも役者が増えちまったじゃないか。

彼は、貼《は》りだされたクラスの名簿を見た時から『まさか』と思っていたのである。サヨコだと！　今年はもう予定通り『サヨコ』が始まってしまっているのに、もう一人のサヨコが現れるなんて。こんなことってあるんだろうか？　今、ここになぜ彼女が現れたんだろう？

「――津村沙世子です。三月まで神戸の方に住んでたんですが、父の仕事の関係で急に転校になりまして――一年という短いあいだですけれども、よろしくお願いします」

少女の声は涼しげで落ち着いていた。

黒川が横で補った。

「津村は神戸のN高にいたそうだからネ。編入試験もほぼ満点だったということだネ（教室中におーっという声があがり、一時騒然となった）。うるさいな。あー、この花を活《い》けてくれたのは誰かね？（教室内はシーンとし、誰も返事をしない）――ふむ？まあ、いいか。どうもありがとう。ハイ、ではそろそろ、始業式、行こうか」

『彼女』は蒼《あお》ざめながら津村沙世子を見つめていた。

『彼女』もまた、同じクラスにいたのである。

同じクラスだなんて！　しかも自分で花を活けておきながら、あんな涼しい顔をしているなんて！　こっちを見て目が合ったのに、全然知らん顔をしてる――

『彼女』は今朝、学校の外まで逃げ出して、しばらく息を整えてから気を取り直して再び登校してきて仰天した。『彼女』の放り出していったチューリップの花が、ご丁寧にも各教室の入口に画鋲で留めてあったからだ。

あれもあの子がやったというのか？　いったいどうしてなんだろう？　本当に転校生ならば、なぜあんなことを言い、あんなことをするんだろう？　しかし、もう今年のゲームはスタートしてしまったのだ――あいつがスタートさせたということになるのか？あの子もまた今年のサヨコであるということなのか？　そんな馬鹿《ばか》なことが――

『彼女』はポケットの中の鍵《かぎ》を握りしめた。


「神戸のN高にいたんだってさ」

「すげえ、あのT大合格率全国一の」

「もったいないなあ。こんな田舎の方に三年にもなって転校することないじゃんか」

「でも、やっぱ女の子一人じゃ置いとけないだろ」

「だけど、今どき普通単身赴任するだろうよ」

「あったまいいんだろうなあ」


始業式の間に、三年十組の美少女の転校生の話はあっという間に広まってしまっていた。チラチラと皆が視線を投げるのに気付いているのかいないのか、津村沙世子はいたって静かに立っていた。

雅子もそっと津村沙世子の後ろ姿を盗み見る。ほっそりとした姿勢の良い後ろ姿。美しい、つやつやとしたストレートの髪。彼女の周りだけ、異質な上等の空気に包まれているようだ。

小学校の頃は、転校生が羨《うらや》ましかったな。黒板に先生が名前を書いてくれて、休み時間にみんなが周りに集まって。なぜか転校生は何でもよくできる子が多かったような気がする。あんなに美人だったら、転校するのも楽しいんじゃないかな。

ぼんやり見つめていると、不意に津村沙世子が顔だけでパッと振り向いた。古く老朽化した講堂の空間に、彼女の真っ白い、人形のように整った顔が浮かび、雅子はバッタリと目が合って思わずビクッとした。

やだ、あたしそんなにじろじろ見てたかなあ。

雅子は真っ赤になった。津村沙世子は静かに雅子を見つめていたが、やがてニッコリと美しい白い歯を見せて笑った。その笑顔は雅子が思わず見とれるほど、ぱっと大輪の花が開いたかのような見事な笑顔だった。

うわあ、こんなにきれいに笑う女の子、あたし今まで見たことないなあ。

少女はもう、正面を向いていて、また美しい黒髪を雅子に見せているだけだった。雅子はキョロキョロしたが、今のやりとりに気付いた生徒はいないようだった。

あたしに笑いかけてくれたのよ、ね。

雅子はすっかり彼女の笑顔に魅了されていた。

春の天気は変わりやすい。

垂れこめた雲の向こうで、ゴロゴロと遠雷の音がする。

雲が動いている。その切れ切れに、春のまだ硬い光が見え隠れする。

この学校の建っている場所は、もともとは城跡だったという。小高い崖《がけ》の上にある校庭をふちどるようにぐるりと桜の木が立っている。その中で、一本だけ他の木をさしおいて早々と咲き誇っている桜がある。その桜の木の根元には、なんとも見栄《みば》えのしない、小さな真四角の黒い碑があった。でこぼこの土と草に埋もれて、細かく字が彫ってあるのだがよく読み取れない。

その碑の前に、一人の少女が立っている。

津村沙世子である。

——あの子、あんなところで何をしてるんだ?

バスケット部の練習の、最後の軽いランニングを終えて、校庭から部室へと向かう階段を登る時、唐沢由紀夫はぽつんと立っている少女に気が付いた。

あんな校庭の隅っこで——初めて来た学校の中を探検してみているのかしらん?

湿った風が、濡《ぬ》れた背中を吹き抜ける。

彼は目が良いほうだ。目を細めて、遠くにいる少女の表情を凝視しようと試みる。

日が落ちてきて、古い木造の部室長屋の窓ガラスをガタガタと鳴らす風が強さを増し始めた。

汚く、暗いこの長屋は、昔の卒業生の落書きだのナイフで削ったあとだので壁が真っ黒だ。火の点《つ》いたマッチを投げこもうものなら、さぞかしよく燃えるだろう。

建物は『ロ』の字形だ。『ロ』の内側にあたる部分には、園芸部の小さな温室と花壇、生物部の観察池、百葉箱などがこぢんまりと置かれ、ぐるりと囲んだ部室から眺められるようになっていた。廊下すらなく、廊下の分だけ張り出した屋根の下は石畳の通路で、雨が降るとびしょびしょになる。

ほとんどの生徒が帰り、閑散とした中で、写真部の部室だけに明かりがついていた。中では、関根秋がぼんやり座って煙草《たばこ》を吸っている。

彼の脇《わき》では、安物の電気ポットで沸いたお湯がポコポコと間の抜けた音をたてていた。

コツコツ、とドアをノックする音。

「はぁい」

秋は慌《あわ》てて煙草の火を消し、コンクリートの床に落として踏み潰《つぶ》した。

「煙の匂《にお》いがしますねェ、関根クン」

唐沢由紀夫がニヤニヤしながら入ってきた。

「おまえかー、ちゃんと言えよ。あーもったいない、まだちょっとしか吸ってなかったのに」

ぶつぶつ言いながら、秋は惜しそうに潰した煙草を見た。

「あっ、お湯沸いてる沸いてる。俺にも飲まして、コーヒー」

由紀夫はドサリとスポーツバッグを置き、部室の備品のささくれだった長椅子《ながいす》をまたいでどしんと座った。

秋はホーローびきの、あちこち剝《は》げて黒くなったマグカップを二つ取り出すと、インスタントコーヒーとミルクを、トントンと瓶を叩《たた》いて振り出した。

「まーたおまえと同じクラスかあ」

由紀夫は秋のよこしたカップの中味を、かちゃかちゃとけたたましい音をたててスプーンでかき混ぜた。

二人は家が近所の上に、小、中、高と学校も同じで、しかも高校は三年間とも同じクラスだったのである。

「ふん。でも、今年は面白そうだな。由紀夫クンだって、ついに花宮雅子サンと同じクラスになれたじゃありませんか」

「うるさいな。嬉《うれ》しいけど、同じクラスだと俺の頭の悪いのがバレちまってイヤだなあ。クラブでは一応尊敬されてるんだけどなあ」

「そんなのとっくにバレてるよ」

「どうしておまえまで黒川と同じことゆうんだよ」

「いいなあ。好きな子がいて、三年生で同じクラスになれてなあ。俺も淋《さび》しいから、あの美人の転校生を狙《ねら》おうかな」

由紀夫はピクリとした。

「おや、キミも彼女に気があるの」

「——なあ」

「なんだよ、変な顔して」

「あいつ、変じゃないか？」

一瞬、間を置いて、今度は秋の方が訝《いぶか》しげな顔をした。

「——どういうふうに変なんだ」

「どういうふうって、うまく言えないけど、なんかイヤーな感じがするんだよな。そもそも、どうしてうちみたいなところに転校してこれるんだ？　なんで転校してくるんだろ？　なんかヘンだよなあ」

こいつ、バカだけど、動物的カンだけは鋭いんだよな。

秋は不思議なものでも見るような目で由紀夫を見た。

「あいつさあ、絶対この学校初めてじゃないぜ」

由紀夫はその無邪気なギョロ目でまっすぐ秋の顔を見た。

「え？」

秋はギクリとした。

「練習終わって戻ってくるとき、あいつが校庭の隅っこの桜の木の下に立ってるのを見たんだ。あいつ、何してたと思う？——笑ってんだぜ、おっきな口あけて。すっごく嬉しそうな顔してさ。なんというか、してやったりって感じの笑い方でさあ、なんかオレ気味悪くなっちゃってさー。美人で頭良さそうだけど、あいつこれなんじゃないの、ひょっとして」

由紀夫はこめかみで指をくるくる回してみせた。

「──ふうん。おまえ、あの桜の木の下に小さい石碑があるの知ってるか？」

「えー？　知んない。なにそれ」

「あの碑の後ろにさ、『私が今年のサヨコです』って書くと成功するんだってさ」

秋は再び煙草に火を点けた。

由紀夫は怪訝《けげん》そうな顔で秋を見た。

「今年のサヨコ？」

「おまえさあ、聞いたことないか、うちの高校の古ーい言い伝えの話」

「あんまし知らないなあ、そういうの。あ、でもそういや合宿んときの先輩の怪談であったな。むかし転校してきた女の子が病気で死んじまって、その子の幽霊が出るっていうの」

「関係あるけどそれじゃない。知りませんかね、サヨコ伝説というのを」

「聞いたことないな。おまえんとこは三人ともうちの高校だからな。でも、俺の知ってる奴《やつ》はみんな知らないんじゃないかなあ」

「誰が始めたんだかよく分からないんだってさ。三年毎《ごと》に『サヨコ』になる者が出るっていうことだけで。俺の兄貴の代のときが三番目だったから、今年が六番目の年だってことだな」

「なんだよ、『サヨコになる』って」

「最初は小さなグループでやってたらしいんだ。小さなグループっていうのは、学園祭の実行委員会のグループだな。十五年近く前の話だけど。うちの学園祭は、開催期間が三日間あって、その初日の午前中だけはうちの生徒だけのイベントになってて、まあ、いつも映画だのコンサートだのやってるだろ。その演《だ》し物が、その年はギリギリまで決まらなくて、校内から募集したんだって。そしたら、匿名《とくめい》で、ポン、と芝居の台本が応募されてきたんだそうだ。それが『小夜子』という女の子の一人芝居だったんだね。これが、とても印象的な舞台だったらしいんだ。舞台の真ん中に教卓が置いてあって、上に真っ赤なバラの花が花瓶に活けてあって、その前で一人の少女が椅子に座って淡々と話をする、という設定なんだって」

　由紀夫の目の前に、今朝自分の教室にあった赤いバラの花がふうっと浮かび上がった。あの花束を見て、冷笑を浮かべた津村沙世子。

「赤いバラの――」

「そう。今朝うちの教室にあった花瓶、あの花瓶が昔その芝居で使われた花瓶なんだ」

「え」

由紀夫はなぜかぞっとした。

かたん、と誰かが教卓の上にあの大きな花瓶を置く音が聞こえたような気がした。

かたん、かたん、と由紀夫の頭の中にその音は響き続けた。それは、暗闇《くらやみ》の中の教卓に、少女が両手でかたん、と花でいっぱいの花瓶を置いていくイメージだった。カフスに三本の白い線の入った制服の腕までは見えるのだが、顔は見えなかった。しかし、その複数の音をさせているのは、一人一人みな別の少女だった。三年前の、六年前の、そのまた三年前の少女たち――そんなに多くの、全くお互いを知らぬ人々がその花瓶に触れているのを想像すると、何か薄気味の悪いものが感じられた。

由紀夫はその薄気味の悪いイメージを追い払おうと努力した。

「あの花瓶をしまってあるのが二階の奥の、廊下のはじの木の戸棚でさ。その戸棚の鍵が代々サヨコに渡されるんだって」

「だからなんなんだよ、そのサヨコって」

「うーん、説明するのが難しいんだよな。要するに、その『小夜子』という女の子の出てくる芝居をやった年は、大学合格率が非常に良かったというんだ。当然、なんの関係もないんだけど、『サヨコ』をやった年は縁起が良かったのだ、となんとなくみんなが思いこんだらしい」

「よくわかんない発想だな」

「うん、そんなもんさ、最初なんて」

「それで」

「それでまた、皆が望んだのさ、『サヨコ』が現れるのを」

「『サヨコ』が現れるのを？」

「そう。それがその三年後の話だ。その年、再び校内で芝居の台本を募集したんだけれども、期日が迫っても新しい芝居を用意できなかった。そこで、三年前にやった『サヨコ』を再上演しよう、ということになった。――さあ、ここから先が由紀夫クンが先輩から聞いたという怪談のもとになった話なんだな。――その年の四月、たまたま、公立高校では非常に珍しいことなんだが、一人の女の子の転入生があった。頭も良くて、活発な子だったらしい。その子は演劇にも興味があったらしくて、この『小夜子』の役を自分がやりたいと申し出た。ただ、うちの高校には古い伝統のある演劇部がある。演劇部でも、小夜子役をやりたがる子が何人もいたんだ。それでまあ、簡単なオーディションをしたんだね。週末の放課後にオーディションをやって、じゃあ、小夜子役に決まった人の机に、月曜の朝に赤いバラの花を一輪置いときます、と、ずいぶん風流なことを考えたわけだ。そして、結局、小夜子役は、イメージがピッタリだということで、その転入生の子に決まった。ところが、彼女の机に花を置いておいたのに、月曜日になっても、彼女はいつまでたっても登校して来ない。——来ないはずだね。その週末に、彼女は両親と車で食事に出かけて、その車が国道でトラックに衝突して大破し、一家三人が死亡していたんだね」

「ひええ、ちょっとできすぎだ、コワすぎる話だよ、そりゃ」

「だろう？　そう、あまりにできすぎた不幸にみんなびっくりして、気味悪がって、その年の『サヨコ』の上演は中止になった。そしてその年の大学合格率は史上最低を記録した、というわけさ」

「ふーん、それでまた『サヨコ』をやんなかったせいだ、ということになったんだな」

「そう。ここで、その史上最悪という数字が記録されたことで、がぜんその『サヨコ』というものが信憑性《しんぴょう》を帯びてきたというか、伝説色を帯びてきたと思うんだよな。学校っていうのは、そういう伝説を伝えるのにピッタリの場所だからね」

「なんかムツカシイこと言ってない？　それにしても詳しいな、おまえ。俺、ぜーんぜんそんな話知らなかったぞ」

「おまえみたいな奴は知らないだろうな。でも、けっこうみんな知ってるぜ。詳しく知らなくても、少しずつどこかで聞いてると思う」

秋は今朝、教室に入ってくる同級生たちの顔をじっと見ていた。皆、教卓の花を見てはっとし、ふっと一様に何かを思い出すような、夢見るような、不安げな顔をした。それで、ああ、みんな知っているんだ、と思ったのだ。伝説というのはそういうものだ。何千人、いや何万人もの生徒たちが過ごしてきたこの古い校舎には、中で過ごしているだけで、それはもう雰囲気としか言えないもの――この場所に染《し》み付いているエネルギーとしか言いようのないものが忍び込んでくる。日々校内のあちこちで交わされる噂《うわさ》話《ばなし》、世間話、他愛《たわい》のないお喋《しゃべ》りの中に、そういった古い物語、口伝えに聞いた物語が忍び込んでくる。

特に印象に残ったのは、花宮雅子の表情だった。彼女は赤い花を見た瞬間、何かに打たれたような表情をした。秋は、巫女《みこ》さんに神様が乗り移った時にこういう顔をするのではないかしらん、と思った。彼女は次の瞬間、気を取り直したものの、今度はとても不安そうなおどおどした表情になった。彼女は思い出しているのだ。記憶の底から、この二年間に聞いてきた物語を。

秋は普段から同級生たちを観察することを趣味にしていた。かまびすしい教室の空気の中にじっと自分を沈み込ませ、みんなを見ているのは面白かった。その彼から見ても、その時の雅子の表情はなかなかお目にかかれないものであり、ひどく興味をそそられたが、そこに脳天気な由紀夫が話しかけたために、彼女の表情はいつもの含羞《がんしゅう》を帯びたあどけない少女のものに戻ってしまった。

「そうかなあ、じゃさ、今年が六番目ということは、あと三、四、五とあったわけだな。

それはどうだったの」

「うん、実はな、俺の兄貴がその三番目のサヨコだったんだ」

「えー」

その時、突然、部室の扉がガタガタと揺れ出した。

「うわ」

二人は真っ青になって飛び上がった。

地震かと思ったがそうではなく、誰かが扉を叩《たた》いているのかとも思ったが、どうもそれも違う。ガリガリ、どんどんと扉の下の方を中心に振動しているのだ。手で叩いているのではない、もっと鈍いもの——何か複数のもの——

「な、なんだあ」

激しく扉が揺さぶられて、古い木造の部室はきしみ、たてつけの悪い窓ガラスがビリビリと音をたてる。何が起きているのか理解できず、正体の分からない振動と音に、二人はパニックに襲われた。が、由紀夫はさっと自分のスポーツバッグを取り上げると、思い切り強くバーンと扉に叩き付けた。

音はパタリとやんだ。

一瞬二人は顔を見合わせたが、由紀夫はつかつかと扉に歩み寄り、力強く開け放った。

そこには何もなかった。

薄暗い灰色の校舎がひっそりと滲《にじ》んでいる。離れたところでキャインキャインという鳴き声がこだまし、タタタタという小さな足音が遠ざかっていく。

「犬だ、二匹」

「なんで犬がこんなところに」

「びっくりしたな、もう。俺はまた――」

言いかけて由紀夫は止《や》めた。

秋はちらと由紀夫の顔を見た。

人気のない校内は、鈍く夕闇に沈みはじめていた。


「うっはー」

「やっぱすごいなあ」

新学期が始まって二週間。ようやくクラスの雰囲気に皆が馴染《なじ》み始めたかと思われる月曜日の朝、三年生の廊下は、ある種の異様な興奮に包まれていた。

雅子は欠伸《あくび》しいしい、カバンを開けながらぼうっとしていたが、

「まあ、すごいよ彼女」

と、転がるように駆け寄ってきた容子の声に目を覚まさせられた。

「彼女ォ?」

廊下の突き当たりの壁に、新学期早々に行われた実力テストの結果が貼《は》りだしてある。科目別に三十位までと、志望コース別に総合点で三十位まで。

容子が言った彼女というのが誰のことか、雅子はすぐに理解した。常連の上位陣に、今回加わったもう一つの名前。

津村沙世子、の名は、どの科目でも五位以内に見られ、総合でも二位に入っていた。ちなみに、一位は関根秋である。

「すごーい、かしこーい」

雅子は自分のことのように嬉《うれ》しそうな声を出した。

「いいなあ、あんな美人なのに頭もいいんだあ」

容子も口を揃《そろ》えて大声を出した。

「――うーん、なんで三十一番を貼りだしてくれないんだろうなあ」

その横で、大真面目《おおまじめ》な顔をした由紀夫が腕組みをして大声で独り言を言ったので、周りに爆笑が起こった。

「バーカ、由紀夫が三十一番なら、俺なんかもうとっくに高校なんか卒業しちまってるよ」

同じクラスの男子が悪態をつく。

「俺は本気で言ってるんだぞ。今年はやると決心したんだからな」

由紀夫がむきになって応酬したのでよけい笑いが沸く。

雅子も楽しそうに笑う。同じクラスというだけなのに彼の身内になったようで、彼のことを彼のそばで笑えるということが不思議な喜びを感じさせる。同じクラスになれて良かった、と雅子はその時初めてしみじみと思った。笑いながら、ふと人の気配を感じて彼女は振り向いた。

「あ」

そこには、登校してきた津村沙世子が立っていた。雅子と目が合う。沙世子はにっこり笑う。なぜか嬉しくなる。まだ話したこともない人と目を合わせて笑えるなんて、なんて自分に自信のある人なのだろう。

「あっ津村さんだ！　見てよ、すごいなあ、かっこいー」

容子が貼り出された名簿を指さした。

「おお津村センセイだぞー」

同じクラスの男子もはやしたてる。

沙世子は、つ、と皆の指さす方向を見て、悠然とした表情でたくさんの自分の名前を見回した。

「すごーい、いっぱいあたしの名前があるじゃない。あはは、これで学年じゅうの人に名前覚えてもらえたかもね」

沙世子は悪戯《いたずら》っぽく落ち着いた声で呟《つぶや》き、にっこりとあのこぼれるような笑顔を見せた。

その笑顔で、この二週間遠巻きにしてきた同級生たちがほどけたようだった。わっと男子も女子も彼女の周りに集まって、前の学校ではどういうふうに勉強してたの、とか、何かクラブに入ってたの、とか口々に話しかけた。

なかなかうまいな、と秋は思った。

彼女は、成績の良い生徒たちがよく見せる謙遜《けんそん》や恥じらいが自分に似合わないことを知っているのだ。すんなりと自分が優秀であることを認め、あの屈託のない笑顔で周囲を全部自分のペースに引き込んでしまう。

これは強敵だ（しかし、何の敵だ？）。

秋は自分の抱いた感想にとまどいを覚えた。

頭が良くて活発な転校生、とその隣で由紀夫は考えていた。

どっかで聞いたような話だな。

ホイッスルの音と歓声が、交互に響きわたる。

体育館。三年生の体育の授業は、特に種目を指定せずにみんなの好きな競技をやらせてくれることになっている。今日はいくつかのグループに分かれてバレーボールの勝ち抜き戦をやっているのだ。最初はお遊びのつもりだったのに、皆だんだん熱が入ってきて、男子は既に決勝戦まで終わってしまい、長引いている女子の試合を見物している。

体育は二クラス合同で授業を行うため、おのずとクラス対抗意識が出てきて、決勝戦はジュース、またジュース、で白熱している。十組のチームでは、容子がボールを拾い、雅子がトスを上げ、沙世子がスパイクを浴びせるという息の合ったプレイが続いていた。沙世子のスパイクは素晴らしかった。高さもあり、威力もあり、動きの一つ一つが美しい。横で見ていて雅子はほれぼれした。

ホントにこんな人がいるんだなあ。

周りで見ているみんなも沙世子の動きに見とれているのが分かる。そんな沙世子と絶妙のコンビネーションをとれているのが嬉しく、誇らしいような気がした。沙世子が雅子に対して全幅の信頼を寄せているのが伝わってくる。容子とバスケット部でプレイしている時に感じる気のおけない一体感とはまた違って、そのどきどきするような甘美な歓《よろこ》びに、雅子は有頂天になっていた。

九組の生徒の放ったスパイクを容子がはじいた。

わーっ、と周りから声が上がる。

沙世子と雅子は慌《あわ》てて同時にボールを追った。ボールは大きくコートからはみ出て体育館の隅に飛んでいく。周りの同級生たちが声をあげてよける。

お互いにボールから目を離さなかったために、二人は激しくぶつかりあって転び、ザーッと床をすべった。女子の悲鳴が上がる。

雅子の頬に何か硬いものがゴッッ、とぶつかった。思わず目をつむる。

「あいたたた」

「雅子、大丈夫？」

沙世子の驚いた声が飛ぶ。

雅子は頬を押さえてふと沙世子の胸元を見た。沙世子の体操着の胸元から、鎖につながった古い鍵《かぎ》が飛び出している。けっこう大きい、特徴のあるアンティーク調の鍵。

沙世子は雅子の視線に気付いてその鍵をつかんだ。

「これがぶつかったのね、悪かったわ、痛かったでしょう？　どうしよう、痣《あざ》になったら」

「ううん、大丈夫よ。それより沙世子は」

「平気平気。ホント、ごめんね」

結局、それで緊張の糸がプツンと切れてしまったらしい。そのまま十組のチームは負けてしまった。しかし、雅子は、沙世子が身につけていた鍵の形が、妙に目に焼き付いて忘れられなかった。

そして、もう一人、その鍵をしっかり見ていた者がいたのだった。

体育館の裏にある水飲み場で並んで顔を洗ってから、沙世子は雅子の顔を穴があくほどしげしげとチェックした。

「どう？　痛む？　痣にはなっていないようね」

「うん、チクチクするけど大丈夫みたい」

雅子はさっき鍵のぶつかったところを押さえてみた。

「でも、沙世子、やっぱ体育の時それしてると危ないよ。けっこう重たそうじゃない」

「そうね、今度から体育の時は外すわ。あーほんとに悪かったわ、女の子の顔に痣なんかつけたら大変」

「あたしなんか、そんなに変わりばえしないからいいわよォ」

「唐沢くんがもらってくれるもんね」

沙世子は悪戯っぽい目で雅子を見た。

雅子はかあっ、と真っ赤になった。そんなとこまで見てるなんて。

「沙世子っ」

「わーい赤くなった、赤くなったぞー」

きゃあきゃあ言いながら二人は走り去っていく。

水飲み場の反対側で『彼女』は顔を上げた。

やはりあれは鍵だった。しかもあれはおそらく――

「雅子、一緒に帰ろ」

「うん」

「あれ、容子は？」

「今日は家庭教師の来る日だから一足先に帰ったよ」

沙世子と雅子は玄関へ向かった。

沙世子が下駄箱の木蓋《きぶた》を上げると、パササ、と何枚かの紙片が足元へ落ちた。

「ん？　なあにこれ」

「きゃー沙世子、ラブレターじゃない？　わあ、ねえねえ誰にも言わないから誰からのか教えてよ」

雅子は一人で興奮している。

「どれどれ。ひどい、みんなおふざけばっか。しかもどれも匿名《とくめい》じゃない」

沙世子は次々と紙切れを開いてみせる。レポート用紙の切れっ端や破ったノートに汚い字で書かれた手紙は、「沙世子さま愛してます♡」とか「今度ぜひ写真のモデルになってください」とかいう他愛《たわい》のないものばかり。

最後に一枚、四つに折られた藁半紙《わらばんし》が残った。

「藁半紙のラブレターなんてあんまりね」

雅子が憤慨する。沙世子は苦笑しつつ広げてみた。パッと赤い文字が目に入ってくる。

かぎをかえせ　ほんとうのサヨコより

沙世子の表情は一瞬凍りついたようになった。

「なにこれ、どういう意味かしら」

雅子がぽかんとする。

次の瞬間、沙世子はグシャリとその手紙を握り潰《つぶ》していた。

「あーあ、本物のラブレターが欲しいな」

沙世子は笑いながら他の手紙と一緒に丸めて玄関のゴミ箱に投げこんだ。しかし、その目はじっと遠くを見て、何かをめまぐるしく考えているようだった。

「なんじゃい」

「なーあ、秋」

天気の良いある日の四時間目。志望コース別の時間割の都合であいている時間を、二人は自習室で過ごしていた。

窓の外の花の散りかけた桜の木々が、室内に心地好《ここちよ》い陰をつくっている。

なんという、ゆったりした、いとおしい時間なんだろう。

秋は目を細めながらみずみずしい色の葉桜を見つめた。

時々、このまま永遠に自分の中に焼き付いてしまうのではないかと思う瞬間がある。今がそうだ。いつかきっと、こんな時間を、こうして隣でだらしなく学生服を着て無防備な顔で話しかけてくる由紀夫の声を、懐《なつ》かしく思う時が来るに違いない。

「こないだの続きなんだけどさあ」

「こないだの続き？」

「ほら、あのサヨコ伝説がどうしたこうしたってやつ」

「ああ」

あの日、始業式の日の夕方、あの不気味な物音で話を中断されてから、二人はその件について話題にするのをなんとなく避けていた。確かに、もう四月も終わろうとしているこの明るくさわやかな午前中ならば、口にしても大丈夫なような気がしたのかもしれない。

「じゃあさ、今年の——六番目だっけ、そいつはいるの？」

「いる。花が飾ってあったのがその証拠さ」

「誰だか分かるの？」

「分からない。分かるのはうちのクラスの誰かだってことだけさ」

「ええっ、うちのクラス？　じゃあそいつは一年間じっと黙ってるってこと？」

「そう」

「へーえ。でもそいつ、びっくりしたろうなあ、『サヨコ』っていう人間がいきなり現れた時は」

「うん」

確かに秋もそれが最初からひっかかっていたのだった。なぜ今、タイミングよく津村沙世子という人間がここに現れたのだろうか？

秋は、同じ高校を卒業した兄や姉の話してくれた過去の物語を振り返ってみて、何かが小骨のようにのどもとに刺さっているような気がした。何か大事なことを忘れているような気がしてならないのである。津村沙世子は用意されたかのようにやってきた。よりによってこんな言い伝えのあるこんな学校に、しかも三年に一度のお祭りのその年に。しかし、津村沙世子という少女は、公的な手続きを経て、確かにこの場所に存在していた。図抜けて聡明《そうめい》で映画スターのように美しく、躍動感に溢《あふ》れて。

「津村は花宮が気に入ったようだな」

秋はぼそりと呟いた。これも偶然か？　花宮の、巫女《みこ》のような触媒的雰囲気を津村が嗅《か》ぎとったということがあるだろうか？　これはあまりにも考えすぎかな——

「女っていうのはよくわかんないな。女もキレイな女が好きなんだなあ。もうあれくらい完璧《かんぺき》な美人だと、自分と比べる気もしないんだろうなあ」

例によって由紀夫は大真面目《おおまじめ》なので、秋はくっくっと笑いながら言った。

「いや、でもね、俺は津村と一緒にいるようになって、花宮って可愛《かわい》い子なんだな、と思うようになったよ」

「なんだよ、それ」

「いやほんとほんと。なんせ津村は目立つからな。パッと目につくだろ。それで一緒にいる女の子もつい見ちゃうんだけどさ、それがさ、花宮って派手じゃないけど、決して津村と見比べても見劣りしないんだな。えーっこの子もキレイじゃない、誰だろ、っていうんで、俺、最近よく後輩にきかれるよ、津村さんとよく一緒にいる女の子って誰ですかって」

「へーえ」

由紀夫は複雑な面持ちである。

「おまえも早くツバつけないと取られちまうぜ。それでなくとも三年になればどんな女でもカップルになっちゃうんだから」

「うーん」

「ねえ、ちょっと静かにしてくんないかな、けっこううるさいんだけど」

その時、少し離れたところにいた同じクラスの加藤彰彦《かとうあきひこ》が、きっ、と顔を上げて不機嫌な声で言った。

「へ、すんません」

由紀夫は肩をすくめた。加藤はクラスに必ず一人か二人はいる、地味で社交性がなく冴えないが、その割に自意識過剰で自尊心が強い、というタイプの男子生徒である。つまり、由紀夫のようなタイプの生徒にはおよそ理解できない類《たぐい》の人物だ。

こういう奴《やつ》から見ると、秋や津村のような人間ってどんなふうに見えるんだろうな。憎らしいのかな、羨《うらや》ましいのかな。こいつなんか、どう見ても勉強しか取り柄がなさそうだけど、それも秋みたくホントに頭がいいっていうんじゃなくて、めいっぱいガリ勉してって感じだもんなあ。秋は見た目もかっこいいし、性格だって少々ジジくさいけど男らしいし、スポーツもできるし――「うーん、世の中って不公平だなあ」

思わず口に出してしまった最後の一言を自分に対する嫌味ととったらしく、加藤は怒りで真っ赤にした顔をギロリと由紀夫に向けた。

「おおこわ。秋、行こうぜ、もう昼メシだ」

「うん」

二人は慌てて席を立った。

「ひいい、はあ、一日の最後の授業が体育だなんてこたえるわあ」

容子が珍しくバテ気味で階段を登っている。

「そうよねえ、しかもこのあと部活だなんて」

雅子も汗が引かず、紅潮した顔をタオルであおいでいる。

「こういう時って制服が暑苦しいのよね。歩くサウナスーツだわ」

沙世子も長い髪をうるさそうに背中におしやった。

「あー涼しい、いい風」

階段の上の開け放った窓から、もはや初夏のような風が吹き込んできてさわやかだ。

「まあ、休んでガックリくる前に早く部活に行こ」

「OK」

三人は勢いよく教室に駆け込んだ。が、しかし、中の異様な光景に思わず立ちすくんだ。

教室の中はメチャメチャだった。

誰かが机とカバンの中をひっくり返したのである。

机の中に入れてあった教科書が撒《ま》きちらかされ、みんなの学生カバンがあちこちに蓋の開いたまま放り出され、筆入れやハンカチなどがあたり一面に散乱しており、文字どおり足の踏み場もない。

「ひどい」

そのやり方は徹底していた。あけられるところは全部あけてあり、特に教室の後ろ半分は全員のカバンがぶちまけられていた。

容子が足を踏み入れようとするのを沙世子が手を上げて制した。

「待って。まずこのままにしておいて先生を呼びましょう」

「そうか。じゃあ、二人で見てて。あたし、黒川か誰か呼んでくる」

容子はバテていたのも忘れ、ゴムまりのように駆け出していった。

雅子は声を震わせた。

「誰が、こんな」

沙世子は無言だった。

雅子がふとその表情を見ると、沙世子は無表情でキリリと一文字に唇を噛《か》みしめている。しかし、雅子はその目にハッとさせられた。

普段の表情豊かで輝くような瞳《ひとみ》とは違う、別の光。

怒っている。沙世子はものすごく怒っているんだわ。なぜこんなに？　正義感？

他の生徒たちが制服に着替えてぽつぽつ戻ってくるにつれ、教室の中は蜂《はち》の巣をつついたような騒ぎになった。やがて、授業を終えた他のクラスの生徒たちも集まりだし、ますます騒ぎは大きくなる。

そこへ、容子の率いる担任の黒川、学年主任の宮脇、そして教頭の三人があたふたとやってきた。中を見て絶句する。

「こりゃまたひどい――おい、うるさいな、おまえら。他のクラスの生徒はとっとと帰んなさい。しっしっ（黒川は手で追い払い、ぶうぶう言いながら他のクラスの生徒たちは渋々帰り始める）。十組の生徒は面倒だが自分のものを集めてだなー、失《な》くなっているものがないか確認してくれんかなー」

生徒たちは口々に文句を言いながら教科書や私物を拾い集めた。

しかし、そのざわめきの中に、一種の興奮を、ある種の期待を、感じとるのは間違いだろうか？

秋は皆の表情をちらちらと盗み見ていた。

結局、ずいぶんちらかされていた割には、盗《と》られたものは何もなかったようだ。時計や財布といった貴重品は、授業の前に集めて職員室に預けてしまっていたからかもしれない。

黒川たちはしばらく三人でボソボソと相談していたが、別段警察を呼ぶ必要もないと判断したらしかった。そのまま生徒たちを帰すことにしたのである。

『彼女』は考えながら廊下を歩いていた。

あいつ――あいつは鍵《かぎ》をどこに隠し持っているんだろう？

『彼女』にとって、もはや「鍵」はひとつの強迫観念になっていた。どうしてもあの鍵を奪い取りたかった。あいつがあの鍵を持っている限り、今年のサヨコは成功しないのだ。

『彼女』はそう堅く信じこんでいた。サヨコであることを象徴するあの鍵を、自分以外の誰かが持っていてはならないのだ――なぜだ、このあいだは貴重品袋にも入れず、首から外して机の中に入れるところも見たのに――鍵はあいつの机の中にもカバンの中にもなかった。

『彼女』は下校しようと下駄箱の木蓋を上げた。カサ、と音がし、『彼女』はそこに、四つに畳んだ藁半紙を見た。『彼女』は震える手でその紙を開いた。

　捜し物のお好きなサヨコさんへ
　あなたの捜しているものについてお話ししましょう。六時半に校門のところに立っていて下さい。

そこには、赤いペンでさらりと美しい文字が書かれていた。

明日から連休、ということもあって、なんとなく校内にも弾んだ雰囲気が漂っている。遠くの方で、クラブ活動をしている生徒たちの掛け声や歓声が響く。また、吹奏楽部の、澄んだトランペットやフルートの音も流れてくる。

しかし、そんな音も『彼女』の耳には全く入らなかった。『彼女』はじりじりしながら図書室で時間を潰した。参考書の文字も、全然頭に入ってこない。

連れ立って帰ってゆく生徒たちの声も減り、周囲がだんだん暗くなってきた。

図書室にいるのも『彼女』だけになり、時計を見ると六時二十五分になろうとしていた。

『彼女』はそっと校舎を出て、校門の大きな石の柱に隠れるようにして待った。

六時四十分になり、五十分になった。部活動を終えた生徒たちも少しずつ帰ってゆく。

イライラしながら待つ『彼女』を、夕暮れが包み始めた。

だまされたのだろうか。

そんな考えが頭をよぎった時、スッと誰かが横を通り過ぎ、チラリと『彼女』を見た。

津村沙世子である。

沙世子はニヤリと笑い、かすかに前を指さすと、さっさと一人で歩き出した。『彼女』は慌《あわ》ててそのあとを追う。

濁ったオレンジ色の光の中に、沙世子の後ろ姿は幻のように浮かび、迷うことなく一定のスピードで前を歩き続ける。『彼女』は沙世子が自分をどこに連れていこうとしているのか見当がつかなかった。

「あのチューリップを教室の入口に留めたのはあんたかい?」

『彼女』は沙世子に話しかけてみた。

沙世子の後ろ姿はピクリとも動かない。校門から続く細い坂をどんどん降りてゆく。

「あの鍵はどこから手に入れたんだ?」

『彼女』は再び強く沙世子の背中に向かって呼びかけた。

沙世子は相変わらず無言のままだったが、そのうち細かく肩を震わせ始めた。

笑っているのである。

「ふふふ、どうしてみんな転校生っていうとそんなに興味を持つのかしらね。ね?」

「何がおかしいんだよ」

『彼女』はカッとした。『彼女』が怒りも露《あらわ》に詰問しているのに、沙世子はまるで取り合っていなかったからである。

「あなた、転校したことはあって?」

「関係ないだろ、そんなこと」

「あたしは子供の頃から多かったわよ――不思議よねえ、どうしてみんな転校生をいじめるのかしらねえ? 田舎の方とかに転校するとね、帰り道に大勢に待ち伏せされていじめられるのよ。考えてみると、これって不条理よね? なぜいじめる必要があるのか? 身体《からだ》の中に異物が入ると、ほら、いろいろ白血球なんかが寄ってきて取り込もうとするっていうじゃない、あれなのかもしれないわよね。まあ、その土地に馴染《なじ》むための通過儀礼の意味があるのかもしれないし——でも、要するに『異物』だからよね。知らないものだから、自分たちとは異質の空間と時間を過ごしてきたから——未知なるものは常に恐怖の対象だったから——ほーんと、テレビドラマのいわゆる『謎《なぞ》の転校生』は、いつもなんらかの悪意と目的を持ってやってきたものね。それでまあ、いじめて、過剰に接触して、屈服させて、免疫《めんえき》をつけて、自分たちの中に取り込もうとするわけね」

スラスラと『彼女』の存在など気にしていないかのように喋《しゃべ》り続ける沙世子に、『彼女』はあぜんとした。そして、薄気味悪くなった。

この子は少しおかしいのではないだろうか？

「——でも、そんなこと現実にあるわけないじゃない。馬鹿馬鹿《ばかばか》しい。しょせんあたしたちは偉そうなこと言っててもただの子供で、親の都合で学校をかわるだけ。新しい学校に行くのが怖くて怖くて、嫌で嫌でたまらなくて、永遠に新学期が来なければいいと布団《ふとん》の中でびくびくして——そんな目的だの悪意だのを持って、自分の意思で転校なんてできるわけないじゃない。ねえ？　あたしがそんなに怖く見える？　どう？　加藤クン」

『彼女』は——いや、加藤彰彦は名前を呼ばれて我に返り、その場に立ち尽くした。

津村沙世子はいつのまにか加藤の方に向き直り、両手で身体の前にカバンを持って超然と目の前に立っていた。先程まで見せていた笑顔は既にひとかけらもない。あの、始業式の日の朝のように——

「言っとくけど、チューリップの花を入口に留めたのはあたしじゃないわ」

「え、じゃあ誰が」

「分からない——あたしがもいちど、黒川先生と職員室から戻ってきたらもう留めてあったわ」

「なんで赤い花を活《い》けたんだ?」

「悪い? 新しい学校に挨拶《あいさつ》がわりに花を持ってきただけよ」

「でも、黒川が『誰が持ってきたんだ』ときいた時知らんぷりしてたじゃないか。それに、あんた、『サヨコ』の言い伝えを知ってるんだろう?」

沙世子は返事をせず、再びくるりと加藤に背を向けて歩き出した。

加藤も慌てて後ろについて歩き出す。

少し風が出てきたようだ。

少女はいたって落ち着き払って前を歩いている。

何を考えているんだろう、この子は——実は全くなんの関係もなく、何も知らないのだろうか?

少女の歩く道は交通量の多い国道に入った。狭い歩道の脇《わき》を、不機嫌そうにトラックがビュンビュンと通り過ぎてゆく。

大きな橋にさしかかる。トラックが通過する度に、かすかに上下に震動するのにぎょっとする。

少女は急に立ち止まると、横を向き、見上げた。橋の下を流れる川は、学校の校門を出たところの橋の下へと続いている。川の岸辺にそびえる灰色の崖《がけ》の上に、自分たちが出てきた校舎がのぞめた。

「ここで何年も前に事故があったそうよ」

「ここで?」

「三人が亡《な》くなったんですって。それをまつって、あの崖に石の碑が建てられたそうよ」

「――?」

橋がぎしぎしと小刻みに震動した。すぐそばをかすめるようにトラックが何台も立て続けに通るので、沙世子の声がよく聞き取れない。

「――よ」

「え?」

加藤は声を上げて聞き返した。

「あたしなのよ」

突然、津村沙世子が振り返った。その目は無表情で、能面か何かが振り向いたかのようだった。

「そう、六番目のサヨコはあたしよ」

加藤は目を見開いた。またあの、始業式の日の朝に初めて対面した時に味わったわけのわからない恐怖が、じわじわと足元から這《は》い上がってきた。

「わざわざ帰ってきたのよ。あなたの役目はもう終わったのよ」

すさまじい音をたてて耳の近くをトラックが通り過ぎ、二人はトラックの陰になり、一瞬お互いの姿を見失った。

加藤は自分でも気付かないうちに、両手で顔を覆《おお》って悲鳴を上げていた。


「あれ？　ねえ、あれ沙世子じゃない？」

容子が遠く国道を歩く少女の姿を認めて言った。黄昏《たそがれ》が深く満ちてきていて、よく顔が見えない。

「ええっ、こんな時間に？　勉強でもしてたのかなあ。でも沙世子んちはあっちじゃないよ」

「後ろにいるのは誰？　あれ、うちのクラスの加藤君じゃない？」

容子はさらに目を細めてみたが、薄暗くてはっきりとは確認できなかった。

「加藤？　加藤といえばさー、こないだの教室荒らし、ここだけの話にしといてほしいんだけど、加藤が六時間目に十組の教室から出てくるのを見たって奴《やつ》がいるんだよなー」

容子の彼氏で、同じく男子バスケット部の高橋が言いにくそうに声を低めた。

「えー加藤がぁ？　あいつにそんな、人のカバンひっくり返す程の度胸があるとは思えんがねえ」

由紀夫が不服そうに言った。

「でも、六時間目の半ばに入っていくのを見て、二十分くらいしてから出てくるのを見たっていうんだぜ。あれだけ撒《ま》き散らかすにはけっこう時間もかかるだろ。もし加藤じゃないにしても、絶対犯人と鉢合わせしてるはずじゃないか」

「でも、犯人は誰だか知らないけど、何か盗もうとしたというよりは、何か捜してたってカンジよね。校内の人間だったらなおさらよね。貴重品は預けちゃうってことみんな知ってるんだもん」

容子が『盗む』という話題から話をずらすように明るく言った。

雅子はずっと黙ったまま考えこんでいた。

あの、沙世子の怒りに満ちた目が、目の前に浮かんでくる。

教室を荒らした奴は、沙世子のカバンが目当てだったに違いない。沙世子もそれが分かっていたからこそ、あんなに怒っていたんだ。そして、犯人の欲しかったものは――

　かぎをかえせ

赤い文字が目の前に浮かんでくる。沙世子の胸元から下がっていた、あの古い鍵。犯人はあの体育の時間に沙世子のつけていた鍵を見つけて、この次の体育の時は外す、と言ったのを聞いていたんだわ。あの鍵はなんの鍵なんだろう。そんなに二人が（沙世子と犯人が）血まなこになって取り合うほど大事なものなんだろうか――

「――ほら、由紀夫クン、ちゃんと雅子を送ってってよ」

　ニヤニヤしながら容子と高橋が去っていった。

　雅子はハッとした。いつの間にか、由紀夫と二人きりになっている。思えば、二人きりで並んで歩くなんて、ほとんど初めてのことなのだ。雅子は動転した。由紀夫も全然雅子の方を見ない。緊張しているのである。二人は互いに前を向いたまま、黙ってぎくしゃくと歩き続けた。雅子はこの状況を打開すべく、いきなり沙世子の鍵のこと、沙世子の貰《もら》った手紙のこと、教室を荒らした犯人がその鍵を目当てにしていたのではないかという自分の考えなどを一方的に話した。由紀夫は最初話をするのも恥ずかしそうにしていたが、雅子の話を聞くにつれ、真剣になった。

「ねえ、花宮さん、今日帰り急ぐ？」

「え？　ううん、どうせ明日から連休だし」

「今、関根秋が『ビアンカ』で待ってるんだけどさ、その話、もいちど秋にしてやってくんないかなあ」

「関根くんに？」

由紀夫はその日、秋から、例の『サヨコ』の話の続きを聞かせてもらう予定になっていたのである。

『ビアンカ』は、駅と学校のちょうど中間にある、古い民家のような喫茶店だった。おっとりとした老夫婦が趣味でやっている店で、歴代の在校生が愛用していた。関根秋にいたっては、兄、姉、秋と三代にわたって入り浸っているため、老夫婦にも「シュウ、シュウ」と息子のように可愛《かわい》がられていた。

秋は、由紀夫が雅子を連れてきたのを見て驚いたが、雅子の話を聞いて顔色を変えた。

「決まりだ、加藤が今年のサヨコだ」

「やっぱし？」

由紀夫も雅子の話を聞いた時にそう思っていたが、秋もやはり同じ結論に達したようであった。

雅子はぽかんとしていたが、「なあにそれ」と身を乗り出してきた。秋はかいつまんで、由紀夫に話したのと同じ内容を説明した。雅子は、あの思い起こすような表情になった。

「それ——あたしも聞いたことあるけど、もっと別の話だったわ」

「うん、古い話だし、長い年月が経《た》ってるし、尾ヒレがついておそらくいろんなバージョンになってると思うんだ」

「あたしが聞いたのは、もうちょっとなんていうか、おとぎ話っぽい話で——サヨコっていうのは、学校の桜の木に棲《す》んでいる学校の守り神で、赤い花を活けるのは、その神様に捧《ささ》げるお供えで、今年一年の学校の無事を祈るおまじないなんだって。それで、その神様は気まぐれなので、その神様に見つからないようにお芝居の準備をして、神様の気に入るようなお芝居をしなくちゃなんないんだっていう話だったよ」

「うーん、女の子の口から聞くと、いきなり可愛い話になってるなあ」

「あと、他の子が聞いたのでは、今までやったので、その神様が気にくわなかった芝居をやった女の子が、急に落ちてきた舞台の緞帳《どんちょう》にぶつかって死んじゃって、今も緞帳に血の染みがあるとか、あの花瓶ね、あれの絵柄が出す度変わるとか、そういう怖いのもあったなあ」

「それってみんな知ってる話？」

由紀夫が感心してきくと、

「うん、ちょっとずつ違うけどみんな知ってるみたい」

雅子は無邪気な顔で紅茶を飲んだ。

由紀夫はまた、気味が悪くなった。何千という数の、たくさんのうちの在校生、卒業生たちがこの物語を聞いているとは。しかも、その物語は一つ一つ微妙に違い、さらに少しずつ変化したさまざまな物語を毎日生み出し続けているのだ。

秋が呟《つぶや》く。

「それにしても――津村の持ってる鍵《かぎ》って――それが代々サヨコに渡される鍵だと加藤は思ってるらしいけど、鍵は二つあるってことなのかな。もしそうだとして、津村はどこからその鍵を手に入れたんだろう？」

「津村は本当にサヨコ伝説を知ってるのかな？　この学校初めてじゃないのかなあ？　どう、知ってそうなカンジ？」

「ううん、全然。毎日一緒に過ごしてるけど――普通の子だよ」

雅子は沙世子のいろいろな表情を思い浮かべる。始業式の日の、大輪の花の開いたようなノーブルな笑顔、スパイクを放つきりっとした顔、雅子をからかう悪戯《いたずら》っぽい顔。快活な、一点の曇りすらないのに、軽薄さが全くない笑顔。あんなに一つ一つの表情がキラキラして、ストレートな生命力を感じさせる女の子には今まで会ったことがない。頭が良くて可愛くてなんでもできる、という女の子は何人もいるが、あの沙世子のように同性から見ても抗《あらが》いがたい魅力を感じる女の子は。

ぼんやりと机の上で頰杖《ほおづえ》をついていたり、ただ彼女がすっと廊下に立っているだけで、時に感動すら覚えることもある。ジグソー・パズルの全《すべ》てのピースがピタリとあるべき場所に収まったかのような、津村沙世子という少女の完璧《かんぺき》さに。

「でも――普通の子だけど、沙世子はやっぱり特別だなあ。あんなすごい人、あんなにきれいな女の子って、あたし見たことないわ」

由紀夫と秋は顔を見合わせた。雅子の表情は、ほとんど恋する少女のそれであったからである。

「――で、三番目のサヨコは秋の兄貴だったんだよな？」

コホンと咳払《せきばら》いをして、由紀夫が話を戻す。

「そう。そして、その三番目のサヨコの時には、もう現在のパターンができあがっているんだ。うちの兄貴が二年生で、卒業式で出ていく卒業生に花を渡す時――二年生がめいめい花を持ってだな、一人ずつぐるぐる回って、講堂を出ていく卒業生に一人一人花を渡すわけなんだが、そこでいきなり、花を渡した時に例の鍵を押しつけられたそうなんだ。兄貴は当然びっくりして、相手を捜したんだが、ほら、御存知の通りフォークダンスで踊る二つの輪がぐるぐる回ってんのをもっと早くしたようなやつだからさ、誰だか分からなかったらしい。しかし、相手の方はちゃんと誰だか見てたんだな。その翌々日に匿名《とくめい》の手紙が郵送されてきたというんだ。きみが今年のサヨコをやるのならば、赤い花を自分の教室に飾りなさい、誰にも見つからないようにサヨコの芝居の準備をしなさい、とね。そして、そのサヨコの選択肢は三つある、きみが新たにサヨコを凌《しの》ぐものを用意できるのなら、再び赤い花を活けなさい、それができず昔のサヨコを再上演するなら、からの花瓶を置きなさい、何もできないならば、何も置いてはいけない、——とね」

「ひぇえ、細かい。誰が考えたんだろう」

「兄貴はその際、いろいろ過去一、二回のサヨコの関係者を調べたらしいんだが、どうやら二回目の学園祭の連中が考えたらしいね。ただし、『サヨコ』は三年に一度だから、兄貴の前に、鍵を渡すだけのサヨコが二人いたわけだ。送られてきた手紙には、ご丁寧にも、西暦がずっと書いてあって、渡すだけの年は緑、サヨコを実施する年は黒で書いてある紙が同封してあったというよ。鍵を受け取った者が、年々その西暦に丸をつけて、次のサヨコに郵送していたらしい」

「一回きりの不幸の手紙ってやつね」

雅子が呟いた。

「その、もいちど赤い花を活ける日っていうのはいつだい？」

「九月の始業式の日さ」

「で、秋の兄貴は？」

「赤い花を活けた。——ここから先も念が入ってるんだ。学園祭の実行委員会には、実行委員以外マル秘のマニュアルが一冊あるんだそうだ。すなわち、赤い花が活けられた場合、花瓶だけの場合、何もなかった場合、のそれぞれの進行のしかただな。前の二つの場合、学園祭の準備は二本立てで進められる。密《ひそ》かに芝居を上演する準備をしつつ、表向きは映画上映会だの、コンサートだのの準備をするんだな。キャストはむろん当日まで秘密。サヨコの方は、赤い花を活けたら、オリジナルの台本を、九月中に学園祭の実行委員長の家に郵送しなくちゃならないんだ。でも赤い花を活けても、ほんとに上演できるかどうか分からないだろ。台本を完成させられるかどうかわからないし、完成しても内容がひどいかもしれないし。そして、いよいよ上演できると決まって準備完了したあかつきには、学園祭の一週間前に、また合図が出る」

「え、また赤い花かい？」

「違う。校門のところにあるでっかい桜の木の枝にてるてる坊主《ぼうず》を吊《つ》るす。今度合図を出すのは実行委員の方だからな。新たなオリジナルが上演される時には赤いてるてる坊主、過去のサヨコが再演される時は白いてるてる坊主、どちらもやらない時は何も吊るさない」

「ひえーたいへんだなあ。それで、三番目のサヨコは」

「赤いてるてる坊主が吊るされた。兄貴は、過去のサヨコを知る男子生徒が、彼女を回想するという形で、男の一人芝居を書いたのさ。まあ、その年はめでたくそれが上演され、一応評判も良く、そのせいかどうか、大学合格率も史上一、二を争うほどよく、兄貴はまた卒業式の日、別の後輩に鍵を渡したというわけだ」

「ふうん。で、そのあとは」

「そして二年後、なんとか無事に鍵は渡り続けたんだが、四番目のサヨコに当たった奴《やつ》、それがえらい気の強い女の子でさ、鍵を受け取ったはいいが、いきなり生徒総会に訴えたらしい。私は受験勉強で忙しいのに、なぜこんな訳のわかんない、なんのメリットもない変なことしなきゃなんないんだってね。こんなバカバカしい因習はやめるべきだ、私は絶対何もしませんよ」

「へえ、それもごもっともだよな。じゃあ、そこでおしまいかい？」

「ところが、ちゃんと二年後には、別の人間がその鍵を受け取っているんだ」

「しつこいな」

「ふふ、ここで今度はうちの姉貴が登場してしまうんだよな。うちの姉貴はこの時の『渡すだけのサヨコ』をやっているんだ」

「実はおまえんちの陰謀なんじゃねえか？」

「あはは、だったら今年はオレがやるんだけどな」

「じゃあ、五番目もあったわけだ」

「ん、あった。でもこれは『無言のサヨコ』と呼ばれててね、四月の始業式に赤い花は活けたんだが、あとは何もしなかった」

「ふーん、かくて今年は六番目なわけね」

「うん。——そうそう、さっきの四番目のサヨコの話には続きがある。このサヨコに当たった気の強いお嬢さん、受験の時期に原因不明の高熱を出して浪人、しかも翌年また同じ時期に再び高熱を出して、ノイローゼになってしまったというオチがついてます」

「げえ、サヨコ様の祟《たた》りはすごいなあ。俺たちにとって、それって死ぬより怖い祟りだよな。もしかすると先生たちの陰謀かもしれんなあ」

秋は由紀夫の台詞《せりふ》にいたく感心した。そう、確かにこの、地方の進学校に所属する自分たちの選択肢は二つに一つしかない。大学に受かるか落ちるか。これって、なかなかすごい状況だ。受験戦争だの偏差値教育の歪《ひず》みだの手垢《てあか》にまみれた表現で騒ぎ立てる以前に、生活レベルで既にそういうことになっている。

「先生たちはこの話知ってるの？」

雅子がきいたので、秋の思考は中断された。

「どうだろね。俺が見た限りじゃ、知らないと思うな」

秋は、教師たちがサヨコ伝説をどの程度知っているのか気になった時期があり、それとなく写真部の顧問などに探りを入れてみたことがあった。が、しょせん、教師と生徒というのは相容《あいい》れぬものであり、このサヨコの件に関しては、生徒たちは非常に閉鎖的であり、巧妙だった。いわゆる地方のリベラルな学校によくあるように、学校行事のほとんどが生徒たちで募集した実行委員で運営されるこの学校では、年々生徒たちが小粒になりリーダーシップを執る者がいなくなっている、と教師たちを嘆かせているものの、それでもかなり自主的にそれが行われていた。会議に立ち会う程度の教師たちは、そんな意味のない行事が連綿と続いているとは気付いていないようだった。そう、これはあくまで生徒たちの『自主的な』行為なのである。まして、この『サヨコ』なるものは、実際に携わる者がごく少数であることも手伝って、それ以外の生徒たちにとっては、話を知ってはいても現実にどういうものかはほとんど理解されていなかった。生徒たちのほとんどにとっては、それは通学路の風景と同じだった。毎日目にしてなんとなく知っているつもりでいても、いざ目の前からなくなってしまうと全く思い出せないという類《たぐい》のものなのだ。

秋はぼんやりと考え続けた。

でも、もしかして黒川あたりだったら知ってるかもしれないな――なんせ十年もいるんだからな。

「――ねえ」

雅子が急に顔を上げた。

「じゃあ——じゃあ、もし、やっぱりさっき一緒にいたのが本当に沙世子と加藤君だったとしたら——」

「加藤と津村が？」

秋は眉《まゆ》をひそめた。

「二人はどうして一緒にいたのかしら？」

加藤は、どこをどう通って家に帰ってきたのかよく覚えていなかった。しかし、津村沙世子の能面のようなあの表情が頭の中いっぱいに焼き付いて離れない。よほど真っ青な顔をしていたのだろう、母親が心配そうな顔で迎え、彼はうわの空で夕食を終えた。

明日からゴールデン・ウイークでよかった。ともかく三日間はあいつの顔を見ずにすむ。なんなんだ、あいつは？　気が変なのか？　いったいどういう意味なのだろう？

彼はテレビも見ずに、早々に二階の自分の部屋に引き上げた。

自分の部屋で机に向かい、コーヒーを飲んでいると、ようやく気分が落ち着いてきた。もう一度さっき起きたことを反芻《はんすう》してみる。改めて考えてみると、さっき血相を変えて逃げ帰ってきたのが、すべて夢のように馬鹿《ばか》らしく思えてきた。

なんであんな子供だましの台詞に恐怖を覚えてしまったのだろうか？　あいつ、とんだペテン師だ。いったいなんのためにあんな芝居をしているんだろう。ともかく過去のサヨコと何らかの関わりがあるに違いない。

加藤はだんだん腹が立ってきた。みっともなく叫び声を上げて逃げてしまった恥ずかしさ、悔しさがふつふつと込み上げてくる。反撃してやらなければ、と決心する。どうやって過去のサヨコとのつながりを調べてやろうか、どういうふうに正体を暴いてやろうか、と、彼は自分が津村沙世子を罵《ののし》って、彼女が色をなす場面をさまざまに想像した。頭の中でさんざん沙世子を罵倒《ばとう》しているうちに、次第に気分が高揚し、だんだん気が晴れてきた。

——全く、バカらしい。

彼は元気良く教科書を取り出して机の上に置き、気分が乗っているうちに英語の予習をまとめてやっておこうと、リーダーの教科書を開いた。気のせいか、いつもより頭の中が冴《さ》えているようだ。甘ったるい英和辞典のページの匂《にお》い、そしてカサッカサッとページをめくる音が部屋に漂う。

と、彼は何か別の甘い香りを嗅《か》いだような気がした。

やけに今日は辞書の匂いが鼻につくな。

ふと、彼は後ろを振り返った。

自分でもどうしてだか分からなかった。

深く考えずに、彼は英語の教科書に目を戻した。

しかし、次の瞬間、やはり彼は自分の背後に神経を集中させていた。

——？

部屋の中も、そして外もしんと静まりかえって空気は動かない。

いつのまにか彼は緊張していた。彼はもういちどゆっくりと振り向いた。

そこにあるのはレースのカーテンのかかった窓である。

彼は今度こそはっきりと、かつてどこかで嗅いだことのある、甘くてかぐわしい匂いを部屋の中に認めた。

——！

彼は、自分の耳を、頭を疑った。

そんなはずはない、そんなはずは——ここで、この部屋で、女の子の声が聞こえてくるはずはない。気のせいだ。例えば、雪が降り出した時などに、窓の外に人の気配がすることがある。きっとそういう錯覚に違いない（今は四月の末だぞ、雪が降るんだって？と、心の隅で笑い声が響いた。ヒステリックで自嘲《じちょう》的な、もう一人の彼自身の声が）。**あたしよ**。ほら、また聞こえたような気がした。まさかね。ここは二階だ、俺の部屋だ。**あたしよ**。

口の中が不意に苦くなった。のどの奥からヒューヒューという音が聞こえ始めた。額の、髪の毛の生えぎわがふわっと暖かくなったような気がした。髪の毛が逆立っているのだ。

なんということだ、俺は気が違いかけているぞ、こんな、生まれ育った家の自分の部屋、世界で一番安全で、世界で一番心地好《ここちよ》いはずのこの部屋で、一歩も動かず、**ただこうして後ろを振り返ったということだけのために**。

のどの奥から聞こえるヒューヒューという音が頭に響き始める。幼い頃、喘息《ぜんそく》の発作を起こした長い夜の記憶が、それを拒絶しようとする彼の意志に反して、胃袋の底から湧《わ》き出るように次々と溢《あふ》れだしてきた――おかあさん、あれがきたよ。

幼い彼には、まだ喘息という言葉が理解できなかった。しかし、それが彼に訪れたと知った時の、彼が嫌いな母の不安げな表情で、『あれ』がおぞましいもの、忌《い》まわしいもの、恐ろしいものだということは子供心にも悟っていた。おかあさん、**あれ**が来たよ。

彼は、真っ暗な窓から目を離すことができなかった。

何かが――何かがあそこにいる。

闇《やみ》がふくらんだ。何かが動いている。彼はそこに、窓の桟《さん》をつかむ、少女の白い手を、手首の先の、白い三本線の入った制服のカフスを見た。その細い指は、ちょっとのあいだ手探りしていたが、窓の桟を探るようにつかむと、小刻みに揺らし始めた。カタカタというガラスの振動音。やがて、その手は自信を得たかのように、がたんがたんと力を込めて窓を揺さぶり始めた。音はだんだん大きくなる。がたんがたんがたんがたん。

「やめろ」

カラカラの声で彼は呟いた。

音はますます大きくなる。

「やめてくれーッ」


連休明けの五月の朝。

どうしてたった二、三日過ぎただけでこんなに違うんだろう。そう誰もが思うほど、校内はもはや春ではない、初夏の兆《きざ》しと言ってもいいほどの新緑に塗り替えられていた。

「あーあ、こういう連休の谷間ってかったるいわあ」

容子が乱暴に学生カバンを机にのせた。

「おはよ」

津村沙世子が入ってきた。

まあ、今日はまた晴ればれとして一段ときれいだわ。

雅子は見とれた。こうして明るい朝日の中で彼女を見ると、このあいだ『ビアンカ』で話したあの数々の伝説やら噂《うわさ》やらが、ただのカビくさい怪談としか思えない。

「ね、沙世子、連休の前の日さあ、夕方加藤君と国道のところにいなかった?」

容子がきいた。沙世子はきょとんとしている。

「加藤クン？　ううん、全然。あたし、あの日はとっとと帰ったもん。国道なんて反対の方角じゃない」

「やっぱりあたしの見間違いだったか」

容子のひとりごとを聞きながら、雅子は思わず加藤の席を見た。いつも早く登校してくるのに、今日はまだ来ていない。

朝のホームルームの時間になっても加藤は現れず、黒川までかなり遅れてあたふたとやってきた。

「えー、遅くなってすまん。あー、みんなにちょっと言っておかなきゃならないんだが、加藤が連休中の夜中に心臓発作を起こして、今入院しているそうだ。彼は小さい頃喘息だったそうで、それを数年ぶりに起こしたらしいんだね。しかもかなり大きい発作で、そのまま心臓まできたらしい。今は絶対安静で、面会謝絶の状態だそうだ。どうやら、かなり長引きそうだね。見舞いに行ける状況になったらまた連絡するが、ま、そういう訳でしばらく加藤は休みます。彼は特に委員とかはやってなかったな、関根？」

「あ、はい」

「じゃ、特に引き継ぐ仕事とかはないな。――みんなも運動しなくなって体力の落ちてるところに、いきなり根つめて身体《からだ》こわしたりするなよ。――あ、すみませんね、先生」

一時間目の数学の教師である月岡が、教室の外で既に待っていたため、黒川は会釈《えしやく》してそそくさと教室を出て行った。


今年のサヨコはこれでいなくなった。

今年のサヨコはどうなるのだろう？　これで今年はゲーム・オーバーということか。あっけない幕切れ。まだ五月だというのに。

気が抜けたように、秋は空っぽになった加藤の席を見ながらぼんやりと考えた。もともとそんなに目立つ生徒でなかっただけに、皆加藤のいない生活にすぐ慣れた。残酷なもんだな。もう一人のサヨコの方は？

秋は津村沙世子を盗み見た。相変わらず美しくて聡明《そうめい》で魅力的な彼女は、最初からそこにいたかのように、クラスの中心的存在になっていた。彼女はもはや、校内のみならず他校の生徒のあいだでも有名になっており、彼女の通学路の途中にある男子高の生徒などは、毎朝彼女を見るために窓に鈴なりになっているという噂もあった。

ずば抜けて美しいということは、権力を持つということだった。彼女が自分で何もしなくとも、さまざまなモノが彼女の周りに集まってくるのだ。なぜ、人は素晴らしいものの、美しいものに惹《ひ》かれるのだろう。多くの人が優れたものを獲得しようと競争することによって、より優秀な子孫を残そうとするためかしらん？

　秋はとりとめもなくそんなことを考えた。

　――だがしかし、彼女が本当に例の鍵《かぎ》を持っているとしたら。あの、連休の前の日に、国道のところにいたのが本当に加藤と津村だったとしたら、いったいこの話はどういうことになるのだろう？

　その考えは繰り返しヒヤリと冷たい感触を残しながら頭の中をよぎったが、秋は、その先はあえて考えないことにした。

　何も余計なことを考えなくても、どんどん時間は過ぎてゆく。

　第一回目の進路相談会。運動会。中間テスト。

　学校というのは、そういったシビアなものと、牧歌的な儀式とを、同じレベルで交互に平然と消化していく。淡々とこなされていく行事のあいだに、自分たちの将来や人生が少しずつ定められ、枝分かれしていっているということに生徒たちは気付かないのだ。

　そして、頭の痛い中間テストも終わり、そろそろ梅雨入りの時期が話題にのぼり始めたある日、二時間目の終わった休憩時間に、秋は突然黒川に呼び出された。

　職員室を訪ねた彼に、黒川は小柄で痩《や》せた婦人を紹介した。

「加藤君のお母さんだよ。君に話があるそうだ」

「僕に？」

秋は目をパチクリさせた。特に親しかった覚えもないし、また恨みを受ける覚えもないし——とにかく彼は話を聞くことにした。

「どうですか、加藤くんの具合は？」

「ええ、おかげさまで、命には別状ないようで、やっと最近面会もできるようになりまして」

「そうですか」

イノチニハベツジョウナイヨウデ。テレビドラマでしか聞かないようなその台詞《せりふ》がとても奇異に感じられた。自分が普段、生と死などという概念とは全く無縁の生活を送っているだけに、同い歳《どし》の加藤が生きるか死ぬかという体験をしているという状況が信じられないような気がした。

「それでですね——おかしなお話なんですが、私もまだ本人とほとんど話ができないんですけど、お医者さまの方から、本人が繰り返しうわごとを言っているので、伝えてあげるようにと」

「僕にですか？」

秋はますますびっくりした。

「はあ」

加藤の母親も当惑しているようだった。

「これをまず関根くんに渡すようにと」

彼女は小さなえんじ色のハンドバッグから、封筒を取り出した。

「息子の制服のポケットに入っていたものです」

秋は小さな茶封筒を受け取った。その重み。形。

ガツン、と背中をぶんなぐられたような気がした。

い、い、あの鍵だ。

わなわなと全身が震え出すような感覚に襲われた。かつて、春に、自習室でギロリとこちらを睨《にら》み付けた加藤の顔を思い出した。あの時、俺と由紀夫は何の話をしていたっけ?——そう、今年のサヨコはうちのクラスにいるけれども、誰だか分からないという話をしていた——それを聞いていた加藤は、俺にサヨコを託したのだ。

津村沙世子と対決しなければならない。

彼は不意にぞっとした。

「——それと、私にもお医者さまにも意味が分からないのですが」

ためらいがちに加藤の母親が切り出し、秋ははっと我に返った。

「ヒオミテ、ヒオミテ、と何度も繰り返しているそうです」

「ヒオミテ?」

「ええ、何か聞き間違いかと思いましたけれども、やはりヒオミテ、と繰り返しているそうなんです。とにかくお伝えしておこうと」

秋はあっけにとられた。

「ヒオミテ――」

「そうです。モドッテキタンダ、ヒオミテ――と言っているそうで」

秋がぼんやりと考えこんでいるうちに、三時間目の始まりのベルが鳴り、加藤の母親は恐縮しながら職員室を辞した。

「ほれ、関根、授業が始まるぞ」

黒川がぼんやりしている秋の肩を叩《たた》いた。

「え？　うーん、面倒くさいな、フケちゃおうかなあ」

「バカもの、次は俺の授業だ」

「あ、そうだっけ」

黒川は秋の首根っこをつかんでずるずるひきずっていった。

しかし、授業が始まっても、秋はうわの空だった。

モドッテキタンダ、ヒオミテ――

戻ってきたんだ、は分かるとして、ヒオミテ、というのはなんだ？　ヒを見て、か？　ヒを見て――ヒはなんだろう、日か、火か？　ええいくそ、人に託すんだったらもっと分かりやすいメッセージにしてくれよ。

——ドッと教室に溢《あふ》れる笑い声で、秋はハッと現実に戻った。

黒川が、一番前に座っている溝口《みぞぐち》という生徒の腕をつかんでいる。溝口祐一《ゆういち》は、真ん丸な眼鏡を掛けた、小太りのひょうきんな生徒で、柔道部の主将を務めていた。その溝口の左手の小指に、赤い毛糸が結ばれている。

「——先生は御存知ないですか？　あの赤い糸の伝説を？　人は誰でも生まれた時から運命の人と、赤い糸で小指と小指が結ばれているのです」

「そりゃ知ってるが、どうしておまえが——」

黒川は抑えていたものの、こらえきれずに吹き出した。

「先生、笑いごとではないです、これはおまじないです。この糸が切れる時、運命の人と結ばれるというのです。僕は真剣です。茶化さないでください」

溝口の真剣な口調に、再び教室は爆笑に包まれた。

「それはどこで流行《はや》ってるおまじないだね？」

黒川は笑いをこらえながらきいた。

「小学校に行っている下の妹に教えてもらいました」

またまた大爆笑。秋も吹き出したものの、ふと笑いを止めた。

何か思い出しかけてるぞ、オレは。

どこで流行ってるおまじないだね？　これはおまじないです。おまじない――『ビアンカ』での雅子と由紀夫の顔が浮かぶ。紅茶を飲む雅子のあどけない顔。赤い花を飾るのは、今年一年の学校の無事を祈るおまじないなんですって。――おまじない――げえ、サヨコ様の祟《たた》りはすごいなあ。――由紀夫の声。俺たちにとって、それって死ぬより怖い祟りだよなあ。――祟りで死んだサヨコ。――おまじない。――桜の木の神様の名前をサヨコという。そのサヨコにお供えをして――桜の木の下、桜の木の下、桜の木の下に立っていた、桜の木の下で笑っていた津村沙世子。その足元には何がある？

秋は思わず机を叩いた。

あの碑の後ろに、私が今年のサヨコです、って書くと成功するんだってさ。

わかった！　碑を見て、だ！

『戻ってきたんだ、碑を見てくれ』

昼休みのチャイムが鳴るか鳴らないかのうちに関根秋は教室を飛び出していった。

空気は湿り気を帯び、雨の気配をはらんでいる。

秋は一目散に駆けた。

校舎と校庭は崖《がけ》の上と下に分れている。校庭に行くには、長い石段を降りなければならない。秋は何かに駆り立てられるように、転がるように石段を駆け降りていった。人気のない校庭の上に、どんよりとした重い雲が垂れこめ、黒い雲のむこうから、いつ巨大な怪獣が姿を現しても不思議ではないような風景である。

校庭をふちどる桜の木も、今ではすっかり葉桜となり、今年の役目は終わったとばかりに控え目に立ち並んでいる。

秋は目指す桜の木へと走った。

木の根元は雑草が生え放題、伸び放題で、その黒い碑は、かたむきかけ、埋もれかけていた。

そう、十二年も前の碑だ。

十二年前、この校庭から見下ろせる国道で、一台の車がトラックにぶつかって燃えた。その事故で三人が死に、そのうちの一人は、この学校の生徒だった。

その少女のために建てられた碑だ。

秋は取り憑《つ》かれたように草を払いのけ、碑を覆《おお》う土を払った。字が小さい上に、窪《くぼ》みに土がこびりついていて、読めない。秋はもどかしげに、落ちていた枝を使ってこびりついた土をこそげ取った。

——これだ。

秋は目を大きく見開き、そこに書いてある名前を読んだ。

一九××年　九月十六日　没
津村　沙世子　享年　十七

秋はヨロリと立ち上がり、汗まみれの顔を、ぼうぜんと眼下を横切る国道に向けた。
今日もトラックがビュンビュンと忙しく行き交っている。
い、い、い、い、戻ってきたんだ。
秋は、無意識のうちに、胸ポケットに入っている、加藤から託された鍵を押さえた。
ほてった頬に、ぽつりぽつりと雨があたり始めた。
長い梅雨が始まったのだ。

夏の章

アブラゼミの声が響きわたっていた。

知らない人は、あれを虫の声だとは思わないよなあ。

庭の竹林に、真夏の太陽が惜しみなく降り注ぎ、あちこちに薄緑色の陽だまりをつくっている。

関根秋《しゅう》は、自宅の縁側で母の手製のレモンシャーベットを食べながらぼんやりしていた。

関根家は、この地方ではよく知られた旧家で、代々法曹界に名を成していた。秋の祖父も父も裁判官で、親類縁者に弁護士や法律関係者の名前を挙げればきりがない。

秋は、純和風の古い家の中で、この黒く磨きこまれた広い縁側が一番好きだった。特に夏は、戸を大きく開け放って、庭の竹林のサラサラいう音を聞き、ちらちらと遊び回る陽だまりを見ながら長い時間を過ごすのが幼い頃からのお気に入りだった。

夏休みに入って、もう二週間。しかし、受験生にとっては、夏休みは最初の勝負どころである。これでもかとばかりに連日講習や模試が続き、ようやく受験生の実感がわいてきたところだ。今日は、そのあいまにポッカリとあいた、本物の休みの日だった。

あの、黒い碑の前に立ち尽くした日から、既に二か月近くが経過していたが、特にこれといった出来事もなく、加藤から渡された鍵《かぎ》も、秋の部屋の机の引き出しに入ったままだ。

夏の講習が始まってから、秋と由紀夫、沙世子と雅子の四人で過ごすことが多くなった。

四人でいる時は、もちろん『サヨコ伝説』の話題がのぼることはなかったし、由紀夫と二人でいてもそんな話は出なかった。秋は、黒い碑に刻まれた名前を由紀夫に教えていなかったので、加藤もいなくなった今、由紀夫はもう、そんなお遊びは終わったと考えているようだった。

四人で過ごす夏を楽しみ、受験勉強をし、津村沙世子の正体を思いめぐらしながらも、秋はまだ加藤から『サヨコ』を引き継ぐべきかどうか迷っていた。兄も姉もこの『サヨコ』というものに関わり、さまざまな話を高校入学前から聞かされていた彼は、漠然と因縁めいたものを感じてはいたが、実際自分がその役を担《にな》うとなると、ためらいを覚えずにはいられなかった。彼は常に観察者であるはずだった。当事者になるのは性に合わない。

もう、終わりにした方がいいのかもしれない。現に今年のサヨコである加藤は動けなくなってしまったのだし。——しかし、自分が何もしなければ、本当におしまいになるのだろうか？

ニャ、という声がして、猫の黒兵衛が秋のひざに近寄ってきた。

「わ、バカ、おまえ、このクソ暑いのにそばに寄ってくんなよな」

黒兵衛は澄ました顔で、あぐらをかいている秋のひざに収まった。秋がこの縁側を愛するのと同様に、彼もまた秋のひざに愛着を持っているものらしい。

「暑苦しいなあ、もう」

秋は顔をしかめて、溶けかかったシャーベットを口に入れた。

その時、車が家の前で止まる音がした。バタンとドアが閉まり、玄関の戸がガラリと開く音が続く。母の驚いた声。ゆっくりと廊下を歩いてくる音。

「——おお、秋くん、いましたか」

久しぶりに会う父である。

秋の父、関根多佳雄《たかお》は大男である。秋も大柄だが、父はこの年代にしては珍しく骨格の大作りな男で、ゆっくりと静かに、大きな身体《からだ》を折り曲げるようにして部屋に入ってくる。話し方もいつも丁寧でゆっくりだ。明治の文豪のようなレンズの小さい丸眼鏡を掛け、つかみどころがないくせに不思議と存在感のある父であった。常に多忙で秋が小さい頃からほとんど家にいることはなかったし、歳《とし》の離れた兄と姉がいるため祖父といってもいいくらいの年齢だったが、秋はこの父をとても尊敬していた。

「あれ、お父さん珍しいね、こんな時間に帰ってくるなんて」

「ぽっかり時間があきましてね。手持ちぶさたであまりにも暑いんで帰ってきてしまいましたよ。おっ、秋くん、いいものを食べていますね。お母さん、わたしにもこれをください」

父は秋の隣に腰を降ろした。黒兵衛が家の主に対して歓迎の声を上げる。

「あなた、今日は早目にお夕飯にしますから、少なめにしておいてくださいね」

父と対照的に小柄な母が、シャーベットの入ったガラスの器を盆にのせてパタパタと現れた。父もこの母には頭が上がらない。父は甘いものが大好物で、あちこちに饅頭《まんじゅう》だの羊羹《ようかん》だのを隠しておいてこっそり食べるので、母は目を光らせているのである。

ガラスの器に入れられたシャーベットは、確かに少ない。

「けち」

父はぶつぶつ言いながらも、嬉《うれ》しそうにシャーベットを口に入れた。

この父に『サヨコ』の話をしたらなんというだろう。

なぜか、父の嬉しそうな顔を見た瞬間、その考えがひらめいた。そして、驚くべきことに、秋はその考えを実行に移したのである。

秋は、自分が今年のサヨコの続きを託された話と黒い碑に刻まれていた名前のところは抜かして、サヨコ伝説の話、津村沙世子という少女の話について、これまでの経過を説明した。

父は何も言わず、シャーベットをなめなめじっと聞いていた。

「ねえ、どう思う？　この子」

「ふむ」

父は、眼鏡のレンズをちょっとだけ持ち上げて秋を見た。

「それは、『お客さん』だな」

「『お客さん』？」

「昔から、旅人に姿を変えた神様の話は数多くあるからな。だからほれ、今でも田舎の方に行くと、よそ者や通りがかりの旅人を、必要以上に歓待するところがあるだろ？あれは恐れているんだな、『姿を変えた訪問者』を」

「そりゃあ、民俗学的な話でしょ、現実にはただの転校生なんだよ」

「うむ、ただの転校生かもしれんが、やはりお前たちから見て『異形《いぎょう》の者』なんだろ？本人はただの転校生でも、お前たちが『お客さん』と認めた時からそいつは意味を持ち始めるのさ」

「えー、じゃあ、『お客さん』は、一体なんのためにやってくるのかなあ」

「なんでだろうなあ。それは永遠のテーマだろうな。まあ、お前たちを試しに来ているのさ」

「何を試すの？」

「分からん」

「なんだか気持ち悪いなあ」

笹《ささ》の葉が、ざあっとふくれあがるように揺れ、風が吹き抜けていった。

津村沙世子は『お客さん』なのだろうか？

何かの意味を求めてこの学校に現れたのだろうか？ 何かを試されるような意味が、俺たちの側に隠されているというのか？ ただの平凡な高校生であるはずの自分たちに、なぜそんな『お客さん』の来るような必要があるというのか？

心地《ここち》好い風に吹かれながら、秋は考えた。

「しかし」

父の声に、秋は顔を向けた。

「そんなにきれいな『お客さん』なら、一度見てみたいものですねえ。秋くん、今度うちに連れて来なさい」

「えー」

あっけにとられる秋を尻目《しりめ》に、父はその考えが気に入ったようであった。

夏はうんざりするほど暑く、重たげに、ゆるやかに過ぎていった。

後期の講習が始まり、四人は毎日のようにお茶を飲んではとりとめもなく話をした。本当に他愛《たわい》のない話だった。子供の頃の思い出、学年の噂話《うわさばなし》、よく見たテレビ番組。それがなぜこんなにも楽しいのかよく分からなかったが、それでも全然飽きなかった。四人はせきたてられるようにしゃべりまくり、つまらない冗談でも大笑いした。ちょっとでも話がとぎれるのを恐れているかのように、まるでこの夏に話をしておかなければ一生会うことができないかのように、毎日お互いの姿を求めて集まっていた。

なんでこんなに必死なんだろ、俺たち。

由紀夫はひりひりするような焦燥感を覚えるのと同時に、この状態をとても気に入っていた。四人で過ごす夏は『パーフェクト』な感じがした。もちろん雅子と一対一でつきあいたいとは思っていたものの、それよりもこの四人で時間を過ごすことの方が、何か特別で大事なことであるような気がした。そして、こうして四人で過ごせる最高の時間がほんの少ししかないことも、彼は心のどこかで承知していた。たとえ四人が大学生になって再会したとしても、もう二度とこんな一体感、この四人がいるべき場所にいるという、世界の秩序の一部になったような満足感を味わうことはないだろうと。

それは、なんとなく四人がそれぞれに感じていたことだった。

夏期講習も最終日を迎え、五日間の夏休みが彼らの手元に残された。

みんなに会えないのなら、まだ講習やってる方が良かったな。新学期になっちゃうと、こんなふうには毎日会えないだろうしなあ。

雅子はなんとなく淋《さび》しくなった。

講習を終えて、四人で自動販売機のコーヒーを飲んで外へ出たものの、皆なんとなく離れがたくのろのろと歩いていた。

「あのさ」

秋が唐突に話し始めた。

「今度の二十九日の夜、みんなで俺んちに来ない？」

「えー？　秋んち？」

「そう。うちの親父《おやじ》が俺の友達に会いたい会いたいって言うんだよ」

秋は、父親が自分で言い出した提案をまだ覚えていたのに驚くのと同時に、本気なのにびっくりした。しかも、日にちまで指定してきたのである。

「頼むよ。言い出したらきかない親父なんだ。由紀夫は何度も会ってるからいいとして、若い女の子に会いたいらしいんだよな」

「秋んちはでかいんだぞ。庭に竹やぶはあるし、池にコイはいるし、真っ黒い猫もいる。面白いぞー、秋の親父は」

「変なじいさんなんだよ」

秋は苦笑した。

「まあ、ささやかですがバーベキューの準備なぞしておきますので、頼むから年寄りの相手してやってくれよ」

「ねえねえ！」

突然沙世子が大声で叫んだ。

「じゃあ、夏休みも最後だし、その日は、みんなでお弁当持って海にでも行って、一日遊びましょうよ。それでそのまま関根くんちになだれこみましょうよ」

「わあ、行く行く！」

雅子も声を上げた。

「当然、あたしと雅子がお弁当を二人分ずつ用意するとして——やっぱり雅子が唐沢くんのを作るのよね？」

チロ、と沙世子が雅子を見た。

「ふーんだ」

雅子はあかんべをした。

「おっ、このコは最近反抗的なんですよぉ」

「ね、ひょっとして、水着姿が見られるのかな」

由紀夫が勢いこんできいた。

「バカねえ、今日び、しかもこんな夏の終りの海で泳ぐなんて流行《はや》んないわよ。海を眺めて優雅にブランチ、これよ」

「なーにがブランチだよ、つまらん」

由紀夫はブツブツ言った。

「じゃ、なんでもいいけど十一時に駅の北口改札ね」

秋がまとめた。

その日はいかにも夏の終り、という感じのする日だった。

空は確かに夏の空らしく晴れ渡ってはいたが、あのスカッとした真っ青な快晴ではなく、どこか楽しいことの終りの予感に満ちた、薄くベールのかかったような青空であった。

手頃な時間の電車がなく、人気《ひとけ》のないバスに乗って海辺へと出かけた。四人は並んでバスの一番後ろに座った。

「『卒業』のラストシーンみたいでいいじゃない」

沙世子ははしゃいだ。

「『卒業』のラストシーンにしちゃ人数が二人ほど多いけどね。それに、その化け物みたいな帽子はなんとかなんない？」

「あら、化け物とはなによ。来年はお肌の曲がり角だから、紫外線には気をつけないとね」

「へいへい」

四人は真正面を向いて心地好くバスに揺られた。ぽっかり真四角に切り取られた運転席の窓から見える風景が、映画館の一番うしろから見ているスクリーンのようだった。

「海へ向かう道っていいものね」

雅子がバスケットを抱えてポツリと呟《つぶや》いた。

「うん」

由紀夫は相槌《あいづち》を打った。

「ふだんさ、街の中でもさ、この道は海に続いてるんじゃないかって思う道ない？　俺さ、学校に来る途中で『ビアンカ』の前通ると、いっつも、この道もう少し行くと海に出るんじゃないかなーって思うんだよな」

「あ、あたしもそう。あそこ、ほんとにそういう感じするよね」

「どうしてだろうなあ」

夏休み最後の土曜日の海は、思ったより空《す》いていた。特に彼らは岩場の防波堤の上に陣取ったので、ほとんど人影はなかった。

「オレ飲み物買ってくるよ。砂浜の方に行きゃ自動販売機があるだろ」

「あ、あたしも行く」

　由紀夫について雅子も立ち上がった。

「あたし、ウーロン茶」

　沙世子がクロスを広げながら手を上げた。

「オレ、ビール」

　秋も手を上げた。

「秋くん、そっち持って」

「はいよ」

　二人は両はじを持ってクロスを防波堤の上で広げた。ぴったり敷こうとするのだが、風でふくらんでうまくいかない。

「よいしょ」

　紺と紫の大きなチェックのワンピースを着た沙世子は、サンダルを脱ぎ、片足をクロスの上に放り出して真ん中を押さえようとした。

「お嬢さん、お行儀が悪いですよ」

「あたしの足に見とれてないで、そこの石をあたしの足んとこに乗っけてよ」

「見とれるほど見える部分がないじゃんか」

「うるさいわね、はい、そっちはじも」

どうにかクロスを広げると、二人は宴会の準備を始めた。

「うわー豪勢だなあ。津村のお母さん大変だったろうなー」

「いちいち言うことが可愛《かわい》くないわね。失礼な、あたしが早起きしてこしらえたのよ」

「あ、俺ピクルス嫌い」

「食べなくていいわよ」

「どっちが可愛くないんだ」

「あら、あたしは思ったことを口に出してるだけよ。可愛いもんでしょ、正直で。秋くんなんて、いっつも人のことジロジロ観察して楽しんでるじゃない。いやらしいったらありゃしないわ」

秋はギクリとした。

「やあね、バレてないと思ってるわけ？　あたしを誰だと思ってるのよ、後ろにも目のある沙世子さんよ」

「は、おみそれしました」

「何が面白いの、クラスのみんなをジロジロみて」

おどけてみせていた秋は一瞬返答に詰まったが、こちらを見据えている沙世子の視線に耐えかねて渋々答えた。

「分かんないよ。写真撮るの好きなせいかもね。俺、人がいっぱいいて何かしてるとこ写真に撮るのが好きなんだ。一人一人を正面から見たポートレートじゃなくて、人が無心で何かやってて、それを俺が見てるってことを相手が知らない状態が一番安心できる。広い世界があって、俺はその世界の外側のファインダーのこっち側にいるって状態」

「へーえ」

沙世子は不思議そうな声を出した。

「要するに、いつも第三者でいたいのね。他人が怖いの？　他人が自分の中に踏み込んでくるのがイヤなの？　それとも、自分がその他大勢になるのが嫌なのかしら？　関根秋のプライド？」

「うーん、どれもちょっとずつだなあ」

会話がとぎれ、二人はなんとなく同時に海を見た。

「——どうしてこうも海の色が違うのかしらね。明らかにこれはもう夏の色じゃないものね」

沙世子が表情を和らげて呟いた。

「水温が違うせいじゃないの」

秋があっさり答えると、沙世子はがっかりしたように鼻を鳴らした。

「ロマンのない男」

二人はセロリを齧《かじ》りながら、しばらく無言で海を眺めていた。

「――今年の夏は楽しかったなあ」

沙世子が、海に顔を向けたままポツンと呟いた。

「このまま無事に終わるといいわね」

「え?」

秋は沙世子の横顔を見た。

「こっちよー、お二人さん」

次の瞬間、沙世子は遠くから歩いてくる由紀夫と雅子に手を振っていた。秋が沙世子の言葉の意味を考え直す暇もなく、宴会は賑《にぎ》やかに始まり、楽しく時間は過ぎていった。


まだ日が落ちないうちに、四人は駅まで戻った。

「俺、家にちょっと電話してくるよ。あとオフクロのおつかいがあるんでさ、六時に校門のところで待ち合わせしようよ。学校からだとわりに覚えやすい道なんだ」

「俺も、県大会の写真ができてるから取りに行ってくる」

「それじゃあたしたちは秋くんちに持ってくおみやげでも買いに行こうか。『しおむら』のカスタードケーキ買っていこうよ」

「賛成。でも『しおむら』、ちょっと遠くない?」

由紀夫はポケットから自転車の鍵《かぎ》を取り出した。

「俺のチャリンコそこに置きっぱなしだから使っていいよ。ただ、二人でつぶさないでくれよな」

ひどい、失礼な、つぶれないわよこんなボロ自転車、と沙世子と雅子は文句を言いながらもフラフラと自転車を二人乗りしていった。

「さっ、沙世子ってけっこう重いっ」

「失礼ねえ、坂道だから重く感じるだけよ」

雅子はゼイゼイ言いながら学校へと向かうゆるやかな坂道を登っていた。傾斜は小さいのだが、長い坂道なので、ひと一人乗せて自転車を漕《こ》ぐのは少々きつい。

坂の上の方から固まって歩いてくる男の子たちの集団がチラ、と目に入り雅子はギクリとした。近くの男子高の生徒たちである。

——前からしつこく沙世子に言い寄ってた男の子たちだ。

かなりたちの悪い連中らしく、ケガをさせられたり、ひどい目にあわされた女の子が何人もいると聞く。

よりによってこんなところで鉢合わせするなんて。

雅子はドキドキしてきた。——お願い、このまま無事に通り過ぎさせて!

今さら引き返すには不自然な位置まで、既に坂の半ばまで登ってきてしまっていた。雅子は平静を装《よそお》って、なんとか急いで少年たちの脇《わき》を通り過ぎようとしたが、彼らの反応はそれよりも早く、沙世子の姿を認めた少年たちは、たちまちバラバラと駆け寄ってきて自転車の前に立ちはだかり、自転車を止めてしまった。

「——これはこれはいいところで会いましたね。まあ、楽しそうにバスケット持って麦わら帽子で。楽しい夏の思い出を作ってきたんですねえ。いいなあ、ボクたちにも楽しい夏の思い出を作らせてほしいですねえ」

リーダー格の、いかにも酷薄そうな顔をした目の細い少年が馬鹿《ばか》丁寧に言った。

この人たち、酔ってるわ。

雅子は、少年たちの顔を見て絶望的な気分になった。

酔って、集団で気が大きくなってるところへ、沙世子にバッタリ会ったもんだから、どんなひどいことをするか分からないわ——顔を赤くして、舌なめずりをしている彼らに、彼女は心底おぞましさを覚えた。

沙世子は静かにリーダー格の少年と目を合わせたまま、自転車の荷台に座っていた。

「いつも沙世子様にはふられてばかりですからねえ。今日は是非ともおつきあいいただきたいですね」

「あっ！ 車が来るわよっ」

驚くほど大声で沙世子が後ろを指さしたので、彼らは一瞬不意をつかれて思わず後ろを振り返り、道路のはじによけようとした。それと同時に沙世子は立ち上がって雅子の背中を思い切り突き飛ばした。雅子は押された勢いで自転車を漕ぎだした。

「行きなさい！」

沙世子の厳しい声に、雅子は振り返らず思い切り自転車を漕いだ。

先生を！　いや、唐沢くんたちと警察を呼ぶんだ！　どうしよう、沙世子は？　ああ、神、さ、ま！

「——チッ、俺はあっちも好みだったんだけどなあ」

唾《つば》をとばして、はじにいた少年が沙世子の方に向き直った。五人。

「いやあ、でも沙世子様は心が広いから、ちゃんと一人で俺たちの相手をしてくれるよ」

彼らはニヤニヤして、沙世子のノースリーブの白い腕をなめるように見た。

沙世子は黙って立っていたが、やがてクスリと笑った。

「——まったく。ひとがせっかく無事に夏を終わらせようと思ってたのにねえ」

沙世子はくるりと後ろを向いて、スタスタと歩きだした。

少年たちはあっけにとられた。

沙世子は冷笑を浮かべたまま首だけ振り向いてピシャリと言った。

「何してるの？　さっさともっと静かな場所へ行きましょうよ。それがお望みなんじゃなかったの？　早く、あんまり時間がないのよ」

少年たちはぽかんとしてへっぴり腰でついてきた。

沙世子は先に立ってどんどん歩いていく。

坂道を降り、国道の脇の階段を降り、彼女は川べりのうっそうとした夏草や、赤茶けた熊笹《くまざさ》の茂る河原の奥へ、ずんずん分けいっていく。自分の行くべき場所、自分の目的地を知っている者の確固とした歩き方で。

殺風景な川べりには、もう夕方の風が吹き始めていた。肌がひんやりとする。夜の忍び寄る気配がある。

沙世子は川岸を背にしてくるりと向き直った。

「このへんは、まだ自然が残ってるわね」

沙世子は川から吹いてくる風を背中に受けながらにっこりと笑った。

少年たちは何がなんだか分からないようだった。ぼんやりと顔を見合わせ、誰かが指示を出すのを待っている。

夕陽がすべての物の色を溶かしはじめているなかで、照明をあてているかのように沙世子の顔だけが白く輝くように浮かびあがっている。その黒い瞳《ひとみ》を見ていると、どこか吸い込まれそうな気持ちになる。少年たちには、沙世子の姿が妙に大きく見えた。

風が強くなる。

沙世子の後ろに生い茂る熊笹をザワザワと鳴らす。

「ほら、もうじき日が暮れるわ。日が暮れると、いろいろなものが出て来るわ。いろいろな生き物が。——ほら、聞こえない？」

沙世子は空を見上げながら、歌うように言った。

風がザワザワと熊笹を鳴らし続ける。笹の葉は、白く乾いた葉の裏側を波打つように覗《のぞ》かせる。その色は、どことなく見る者に不安な気持ちを喚《よ》び起こさせる。

ゴオッとひときわ強い風が吹き、沙世子の顔を、彼女の長い髪が隠した。

そして、その時、ガサガサと、風ではない別の物音が熊笹の中から聞こえてきた。

ガサガサ、ガサガサ、とその音は重なりあって増えていき、だんだん近付いてくると、すぐそばで低い唸《うな》り声を発した。

血相を変え、泣き出しそうな顔で飛び込んできた雅子から話を聞いた秋たちは、とにかく警察を呼び、たまたま運良く校内にいたバスケット部の顧問の吉田を連れて、走り出した。しかし、その時点で、既に沙世子と離れてから三十分近く経《た》ってしまっていた。

——このまま無事に終わるといいわね。

秋の頭の中で、沙世子の声が何度も繰り返し響いた。

無事に終わらないというのか、津村？

秋は沙世子に強く問いかけた。

坂道の途中に、沙世子のバスケットが転がっていた。

「どっちの方向に行ったんだろう？」

四人はキョロキョロして分かれている道を見た。

国道の大きな橋の上から雅子は「あっ」と指さした。

「あそこに沙世子の麦わら帽子が落ちてるわ」

確かに、あのつばの広い沙世子の帽子が、河原の流れのそばの石ころに引っ掛かっていた。

「河原だ」

教師の吉田が先頭に立って、国道から河原へと降りる。四人は一列になって、崩れかけた石段を駆け降りた。

辺りはオレンジ色の夕陽にくすみ、背の高い夏草が生い茂り、視界がきかない。

自然と、彼らの足取りはゆっくりと警戒したものになった。

強い風が正面から吹き付ける。

「うっ」

吉田は思わず鼻を押さえた。何とも言えぬ生臭い匂《にお》いが漂ってくるのである。後ろにいた秋たちも、その匂いに気付いた。一瞬、何の匂いだか分からない。

次の瞬間、吉田は何かにつまずいて倒れそうになった。

「うわっ」

かろうじてバランスを保ち、足元を見た吉田は思わず跳びのいた。

そこには、茂みの陰から覗いた、血まみれの手が動いていた。

「た――」

手の持ち主はなんとか喋《しゃべ》ろうとした。

「助けてくれ――犬が――」

吉田たちは寄り添いあい、息を殺し、言葉を失っていた。

これは、血の匂いだ。

恐る恐る、彼らは茂みの向こうを覗き込む。

「見るな、花宮!」

由紀夫がとっさに雅子の前に立ちふさがった。

そこには、赤く濡《ぬ》れた塊がいくつも転がっていた。そのどれもが、呻《うめ》き声を上げながらかすかに蠢《うごめ》いていた。河原の石が、赤黒く、まだらに染まっている。無邪気な子供がホースで撒《ま》き散らしたかのように。

「――沙世子は?」

雅子は、由紀夫の背中にしがみつきながら、彼の背中に問い掛けた。落ち着け、落ち着くんだと自分に必死に言い聞かせようとするが、唇がわなわなと震えだしてしまう。

由紀夫は答えない。石のように立ち尽くしたままだ。

雅子は汗でびっしょりの由紀夫のシャツをつかんで揺すぶった。

「ねえ、沙世子は？　教えて！」

遠くから、パトカーのサイレンがだんだん近付いてきた。

秋の章

学園祭の実行委員長、設楽《しだら》正浩《まさひろ》は、朝のジョギングを日課にしている。

夜は早目に寝て、日の出と共に起き、町内を三十分かけてジョギングし、食事をし、勉強する。人間は体内時計そして地球の時計に合わせて生活すべきであるというのが彼の持論だった。特に、朝は好きな時間である。季節を最も敏感に感じ取れるし、動物としてのプリミティブなエネルギーを自分の中に感じることができるからだ。

九月ももうすぐ終わる。朝外に出ると、空気はもうツンとして冷たく、確実に秋へ、そして冬へと移行しつつあるのを感じる。

今朝もきっちり三十分走って、顔を上気させて戻ってきた彼は、自分の家の郵便受けに大きな封筒がささっているのを朝日の中に見つけたのだった。

引っ張り出した封筒には、切手も消印もなく、黒いマジックインキで「学園祭実行委員長 設楽正浩様」と大きく書いてあり、差出人の名前もない。

――そうか、来たか。もう郵便では九月中に着かないんで、ゆうべわざわざうちに届けに来たわけだ。

九月一日、二学期の始業式の日、三年十組の教室に、ひときわ大きな赤いバラの花束が飾られていたというのを聞き、彼は他のスタッフ達と一緒に、過去からの習慣どおりに映画の上映会と二本立てで学園祭の準備を進めてきたけれども、九月ももうほとんど終りに近付いたのに、何も郵送されてこないので、そろそろ不安になっていたところだったのである。

彼は大事そうに封筒を抱えて家に入った。

しかし、いくらこの台本が到着したと言っても、これからが問題である。中身を読んでみて、はたして本当にこれが学園祭にかけられるものなのかどうか、判断しなければならないのだ。

彼はシャワーを浴び、頭にタオルを乗せたまま自分の部屋に戻って封を切った。中からは、ワープロで打たれた分厚い台本が現れた。

タイトル　六番目の小夜子

ひえー、そのものズバリのタイトルだなあ、と彼は仰天した。このタイトルはそのままでは使えないかもしれないな。

台本を読みすすめるうちに、彼はだんだん顔色を変えていった。

「えー、もういいかげんにクラスの演《だ》し物を決めたいと思いまーす」

秋《しゅう》は教壇の上で怒鳴った。

学園祭にクラスで参加することにしたものの、肝心の、何をやるかがいっこうに決まらないのである。一応、黒板には映画製作だの模擬店だのマンネリ化した企画が並んでいるが、挙げてみただけで、さっぱり腰を入れて決めようという気配がない。正直言って、皆、受験勉強が本格化してきたところなので、あまり責任を持たなければならないような仕事はやりたくないし、面倒くさいこともやりたくない。しかし、クラブ活動も引退してしまった今、三年生はクラスで参加して場所を確保しておかないと、学園祭の期間中いるところがないのである。朝出席を取ってこっそり帰ってしまうという強者《つわもの》もいないわけではなかったが、高校生活最後の行事である学園祭を、何もしないで終えるのはちょっと淋《さび》しいのであった。

壇上の秋は、みんなの気持ちが手にとるように分かったし、秋自身もそうであったが、さっきから二十分以上もこの調子なのでいいかげんイライラしてきた。

「じゃあ、もう、今出てる案の中で決を採ってしまいたいと思います」

えーっつまんなーい、と生徒たちが口々に叫んだ。

「ダーメ、時間がないの。今日このホームルームのあと実行委員会に内容書いて提出しないと参加できなくなっちゃうんだよ」

秋はバン、と黒板を叩《たた》いた。

「はい！」

そこで元気良く手を挙げた者がいる。

皆が一斉に注目した。溝口である。彼の小指には、まだ赤い糸が巻きつけられていた。

彼の運命の人はまだみつからないようである。

「僕が三年間あたためてきた案を聞いてください」

いきなり笑い声が起こった。秋は教卓の上で頭を抱える。

「みんなが真剣に聞いてくれないのなら話しません」

溝口はすとんと椅子《いす》に座ってしまった。

「きくきく、聞きます」

秋は頭を上げた。溝口は立ち上がって周囲をグルリと見回した。この男、妙に人の心をつかむのがうまい。この二十分黙っていたのは効果を狙《ねら》っていたものらしい。

「うたごえ喫茶をやりましょう」

「はあ？」

生徒たちはポカンとした。

「なにそれ？　カラオケ喫茶？」

秋は聞き返した。

「滅相もない。うたごえ喫茶です。――話せば長いことながら、僕がまだ高校に合格したばかりの頃、東京にいるおじさんが僕を呼んでお祝いをしてくれました。その時、おじさんは僕をいろいろなところに連れていってくれましたが、一番印象に残ったのは、有楽町のガード下にある、ビアレストランでした（なんちゅうおじさんだ、と教室の隅で聞いていた黒川が毒づいた）。そこは、ドイツ風のビアホールなのですが、店長も、店員も素晴らしい声をしていて、お客さんと一緒にビールを飲みながら合唱するのです。伴奏はオルガンとアコーディオンのみ。テーブルには歌詞カードがメニューと一緒に置いてあって、しかもみんなが知っている曲ばかり。店の人たちの素晴らしい声と笑顔に誘われて、みんなもついつい大声で歌ってしまうんですね。最初はバカにしていた客も、歌いだすと気持ちがいいのでついついつられて歌ってしまう。カラオケなんて自己満足ですよ。つまんないですよ。学園祭なのです。みんなでやっているという一体感が欲しいじゃありませんか。やはり、みんなが参加できなければ、お祭りとしての必然性に欠けます」

熱っぽく弁舌を奮う溝口に、秋は腕組みをしてクールに尋ねた。

「でもさ、それってアルコールが入ってるからみんな気持ちよく歌えるんじゃないの？　しらふでさ、真っ昼間にさ、よその高校生とか近所のおばさんとかが入ってきてだよ、いきなりほら歌えって言って、歌ってくれるかなあ？　なんだか思いっきり気まずくなりそうだけどな」

「いや、そんなことありません！　要はムード作りと持ち上げ方次第ですよ、ほら！

〽森へ行きましょう　娘さん」

突然溝口は大声で歌い出した。体格のいい彼は、素晴らしいテノールの声を持っているのである。

「はい、ご一緒に！」

その掛け声のかけ方が絶妙で、身振り手振りにもひきこまれてしまうものがあるので、思わず周りの女子が歌い始めてしまう。

「その調子！　はい！　男性諸君も！」

みんな乗せられ、面白がって大合唱になってしまった。〽ランラララ、ランラララ
――と大合唱の続く教室内を見回し、秋は呟《つぶや》いた。

「確かに呪《のろ》われとるな、このクラスは」

「『うたごえ喫茶　みぞぐち』？」

秋の持っていった学園祭の参加申込書を見て、実行委員長の設楽はポカンとした。

「秋、なにこれ？」

「知るかよ、溝口にきいてくれ」

部室長屋の一角にある、学園祭実行委員会室。その狭い部屋は、参加申請をする各クラス、各クラブの生徒たちでごったがえしていた。

「みぞぐち？　ああ、あのコロコロした奴《やつ》ね。ふうん。『うたごえ喫茶　みぞぐち』ね」

設楽は改めて読み直すと吹き出した。

「こりゃあ面白そうだ。俺、見に行こ」

「どうだろね」

「──ところで、秋」

設楽は急に声をひそめて秋の腕を引っ張った。

「来たぜ、サヨコが」

「え」

秋は、設楽の顔をのぞきこんだ。一見細面で繊細な印象を与えるが、その内側に強靭《きょうじん》なものを感じさせる少年だ。設楽も、兄が過去に学園祭の実行委員長を務めており『サヨコ』に詳しい一人だった。

「いつ」

「おとといだ。もう郵送じゃ九月中に届かないと思ったらしくて、夜中に俺んちの郵便受けに突っ込んでいったらしい」

「おととい――」

おとといの晩、秋は津村沙世子の家の夕食によばれていた。沙世子の家を出たのはもう十時近くだった――

ひょっとしてそのあとに？

「で、どうだ、中身の方は」

秋が訊《き》くと、設楽は人差し指と親指で丸を作ってみせた。

「いくらおまえでも、さすがに内容は言えないけど、すごいぜ、今年は。ま、見ててくれよ」

設楽の自信に満ちた表情は、かえって秋を不安にさせた。設楽と別れたあとも、その不安は続いた。

――あの日。

思い出したくなくても、どうしてもあの光景が目の前に蘇《よみがえ》ってきてしまう。

血まみれでのたうちまわる少年たちを目《ま》の当たりにして、警官たちも一瞬色を失った。ショックで口もろくろくきけぬ少年の一人からなんとか話を聞き出してみると、突然、何匹もの大きな野犬が茂みから飛び出してきて、彼らに嚙《か》みついてきたのだという。彼らは皆、犬に襲われた恐怖と激しい出血とで、一様に錯乱状態に陥っていた。皆ひどい傷だったが、中でもリーダー格の少年はほとんど片腕が嚙みちぎられる寸前という重傷で、切断せずに済んだのがせめてもの救いだということだった。

あの時、秋たちは絶望的な心境で沙世子の姿を探した。しかし、血だらけで倒れている少年たちの中に沙世子の姿はなく、しばらくして、川べりの小高い崖《がけ》の下で気絶している沙世子を発見したのである。聞けば、彼女は川岸に追い詰められた時、後ろが熊笹《くまざさ》の茂みになっていたので崖になっているのに気付かず、足を踏み外して滑り落ちたということだった。その際頭を打ってすぐ気を失ってしまったので、犬たちが少年たちを襲ったのは知らなかったという。そのおかげで、沙世子はあちこち擦り傷をこしらえたものの、ほとんど無傷で済んだ。

沙世子はケロリとしていたが、雅子は沙世子に飛びついて大声で泣き出した。その泣き声を聞いて初めて、秋と由紀夫は悪夢から覚めたようにホッと肩の力が抜けたのだった。

翌日の新聞に、高校生が野犬に襲われたという記事が載ったが、警察側の配慮か、沙世子が一緒だったことには触れられていなかった。

その後、保健所の職員がその付近一帯の野犬狩りを行ったものの、野犬はとうとう発見されなかった。ただ、少年たちの発見された地点から数百メートル先で、少年の抵抗を受けてナイフが刺さったまま死んでいる犬が一匹見つかっただけだった（少年たちの一人がナイフを持っていたことを秋たちはその時知った）。

八月三十日の日曜日、秋と秋の父は、二人で沙世子の家まで謝罪に向かった。

沙世子の家は、市内でも一等地にある高級マンションの三階にあった。

秋は謝りに行くのは気が進まないものの、津村沙世子の家族構成にはいたく興味を持っていたので、内心楽しみにしていた。

呼び鈴を押すと、中から「はーい」という元気な声がした。

「関根と申しますが」

父が大柄な身体《からだ》を折り曲げて(なんと、父はその日和服姿だった)ゆっくりとインターホンに話しかけた。

「あらっ」

出たのは沙世子らしかった。

すぐにドアが開いて、青いサマーセーターに黒いチェックのプリーツスカート姿の沙世子が快活に迎えた。腕の包帯が痛々しい。

「こんちは」

秋が軽くおじぎし、父は帽子を取って会釈《えしやく》した。

「まあ、ひょっとして、秋くんのお父さま?」

「はじめまして、秋の父でございます。この度は倅《せがれ》がたいへんな不行き届きで」

沙世子は興味津々《しんしん》という顔で秋の父を穴があくほど見つめた。

そりゃあ驚くよな、突然和服着て帽子かぶった、時代錯誤的で馬鹿《ばか》でかいじじいが現れりゃあ。

秋は父を横目で見た。

「まあ、そんな、困ります。とにかく上がってくださいな。——お母さーん、同じクラスの関根くんよ。わざわざお父さまと来てくださったの」

沙世子は家の中に向かって叫んだ。

「えっ」

家の中から驚く声がして、パタパタと沙世子の両親らしき人たちが駆けてきた。

秋はあれ、と思った。

——なんだよ、ぜんぜん二人とも普通の人じゃん。

秋は挨拶《あいさつ》するのも忘れて、二人を観察した。

二人ともまだ若い。沙世子は一人っ子だから、四十歳を少し過ぎたところではないだろうか。

父親は中肉中背で少々中年太りの傾向の見られる、眼鏡をかけた温厚そうな平凡な男だった。顔だちは整っているものの、特に美男子だというわけでもなく、強烈な個性を感じさせるわけでもない。

母親も、美人というよりは可愛《かわい》らしかった。ほっそりとして全体に小作りな雰囲気で、沙世子と並ぶと姉妹と言っても通用しそうだった。まだどこか少女のようなあどけなさを残している。

この二人から津村沙世子が？

思わず秋は沙世子の顔を見た。両親と並んで立っていても、彼女の落ち着きぶりと美しさ、そして全身から発散する強力な生命力といったものは、遥《はる》かに両親を凌駕《りょうが》していた。

——へーえ、津村って家の中でも支配権を握ってそうだなあ。

秋はそう値踏みした。

一方、沙世子の両親は秋の父に完全に圧倒され、恐縮しきっていた。どっちが謝っているのか分からない。

「この度は、お宅の大切なお嬢さんをたいへんな目に遭わせてしまいまして申し訳ございません。今更お詫《わ》びのしようもございませんが、そもそもお嬢さんを拙宅に連れてこいと言い出したのは私のわがままでして。いや、まことに、申し訳ない」

秋の父は深々と頭を下げた。

「ほんとにすみませんでした。僕のせいです」

秋も一緒に頭を下げた。

「とんでもない」

沙世子の父が慌《あわ》てて言った。

「うちの娘がどんなにきかん気でむこうみずかは私達がよく知ってます。私達が甘やかしてほったらかしにしてきた結果だと思ってます、お恥ずかしい。まあ、今回のことは娘にもいい薬になったんじゃないかと。それよりも、こんなふうに皆さんにご心配をかけてしまったことのほうが私としても心苦しい限りで、お詫びしたいのはこちらの方ですよ」

穏やかで、誠意のあふれる声である。頭を下げていた秋と秋の父は思わず救われたような気分で顔を上げた。

「そんなふうに言っていただけますと、私も非常に気が楽になりますです」

秋の父がホッとしたように呟いた。

その続きは、整頓《せいとん》されたリビングルームでの、秋たちが持参したケーキを食べつつ(秋の父は最初から自分も一緒に食べるつもりでケーキを選んでいたと思われる)、なごやかな談笑になった。

秋はもっぱら沙世子の一家がこの町にやってきた事情が分かりそうなところにアンテナを集中して耳を傾けていたが、単なる転勤以外の何物でもないことが判明してがっかりした。

秋の父というのは、その目立つ風貌《ふうぼう》やとっつきにくい威圧感とはうらはらに、いったん向かい合ってじっくり話をしてしまうと、どんな相手にも絶対に気を許させてしまうようなところがある。沙世子の両親もその例に漏れず、ものの五分も話をすると、それこそ彼らの実の両親とでも話をしているかのように打ち明け話を始めてしまった。仕事の悩み、引っ越してきてからの悩みなどを、二人で交互に争うように喋《しゃべ》りまくる。こんなことまで言ってしまっていいのかと思うくらいである。

それを秋と並んで見ながら、沙世子は「へえー」と感心するように呟《つぶや》いた。

「なに」と秋が訊《き》くと、沙世子は耳打ちするように小声で囁《ささや》いた。

「うちの両親、結構人見知りするのよ。ここに来てからあんなに素直に人と話すの初めて見たわ」

「しっかし、全然似てないなあ、津村は。誰に似たんだ」

「よく言われるわ」

秋は沙世子の腕の包帯に目をやった。

「でもほんと、俺の不注意だったよ。悪かったなあ、女の子に怪我《けが》なんかさせちゃって。傷、どう？　頭の方は？　もう検査してもらったの？」

「うん。もう全然平気。怪我はただの擦り傷だったし、頭だっておっきなこぶができてただけだから。――さっきは笑いをこらえるのが大変だったわ、あんな神妙な顔して入ってきちゃってさあ。そのくせ、目は好奇心で爛々《らんらん》と輝いてるんだもん。それにしても、素敵ね、秋くんのお父さま。さすが秋くんのお父さまだわね」

「それってどういう意味で言ってるんだよ。あの人の子供やってるっていうのも結構大変なんだぜ」

「あっはは。分かるような気がするわあ」

これに懲《こ》りず、これを機会に今後ともよろしく、と秋の父が挨拶するのが耳に入った。五人は頭を下げながら立ち上がって玄関に向かう。沙世子の両親は、秋の父にすっかりなついてしまったようである。相当名残惜しそうに見送りに出てきた。

係累《けいるい》のいない初めての土地に転勤してきた若い夫婦にとって、こういう図太い年配者というのは頼りがいがあるのかもしれないな。

秋は別れの挨拶を交わす父を見ながら考えた。

「それにしても、こんなきれいなお嬢さんに嚙み傷を付けずに済んで、それだけは本当に良かった。普段は飼い慣らされた犬しか見ていないから安心しておりますが、やはり動物には恐ろしい未知の部分がありますね」

外に出る間際《まぎわ》、秋の父は沙世子を見てしみじみと言った。

「大丈夫です、あたし『ハーメルンの笛吹き』ですから。もしあたしがあの子たちと一緒だったとしても、あたしだけは嚙まれなかったと思うわ」

「は？」

秋の父はポカンとして沙世子を見つめた。

「――嘘《うそ》のような話なんですが」

横から沙世子の父が娘のあっけらかんとした口調に苦笑しつつ補足した。

「この子はすごく動物に好かれるんです。小さい頃から、近所を歩いただけで犬も猫も鳥も寄ってくる。動物園なんかすごいですよ、この子が檻《おり》に近付くだけであらゆる動物が集まってきて、なついてくる。いつもみんなに不思議がられましてね」

「へえー」

秋と秋の父は揃《そろ》って声を上げた。

「じゃ、今度こそぜひ、秋くんのおうちの池の鯉《こい》を見せて下さいね」

沙世子はニッコリと笑って手を振り、ドアを閉めた。

「――あれが『お客さん』ですか」

帰り道、父がポツリと訊いた。

「そう。すごいでしょ」

秋が答える。

「秋くんには荷が重そうですねえ」

父が溜息《ためいき》混じりに呟いた。

九月一日の始業式の日、沙世子は頭を打っているので、念のために大学病院で精密検査を受けることになり、風邪だと言って学校を休んだ。

そして、秋はほとんどそのことを忘れかけていた――いや、故意に忘れていた。やめよう、もう、今年は。と、心のどこかで思っていたのである。鍵《かぎ》は相変わらず家の机の引き出しの中だった。

しかし、登校した彼は、再び、咲き誇った赤いバラの花束を入れたあの花瓶が、自分のクラスの教卓に飾られているのを見たのだった。

沙世子でもないとしたら、いったい誰が？

秋は、空っぽの沙世子の机と、一年おくれが確実となった加藤の空っぽの机とを交互に見つめた。とにかく、ゲームは続いている――誰かが続けようとしている。ならば、放っておくしかあるまい。とにかく、ゲームが続くことは学園にとって『吉《よ》きしるし』であるのだから――秋はそう考えることにした。

九月の半ば、秋の父は改めて沙世子、雅子、由紀夫の三人を家に招待し、今度こそ歓待した。そして、そのお返しにと沙世子が秋を自分の家に呼んだのがおとといのことだったのだ。沙世子の両親は、男の子がいないせいもあってか、秋をいたく気に入ったようであった。

「――やっぱり男の子がいると全然頼もしさが違うわねえ。こんな立派な息子さんがいて、お母様もさぞかし鼻が高いでしょうねえ」

沙世子の母親は無邪気に羨《うらや》ましそうな顔をした。

「関根くん、よかったらウチの沙世子どうですかね。ちょっと気が強いんで大変かもしれないけど、とにかくたくましいから、将来関根くんが海外赴任とかになっても大丈夫ですよ」

沙世子の父親も、真面目《まじめ》な顔で言った。

「そうね、私も賛成だわ。そうすれば関根くんのお父様とも親戚《しんせき》になれるし」

「もう、二人ともいいかげんにしてよ」

沙世子の心底迷惑そうなドスのきいた声にもたじろがず、二人は楽しそうに話し続けている。おっとりした、少年少女のような両親だ。大学のゼミが同じで、卒業してすぐに結婚し、二年で沙世子が生まれたのだそうな。

「この極楽トンボの二人はほっといて、秋くん、あたしの部屋に行きましょ」

「わあ、いいのかな、女の子の部屋に入って」

沙世子は自分の部屋に秋を引っ張っていった。

非常に殺風景な部屋だった。本棚と大きな机とオーディオだけ。一見、男の子の部屋かと思うほどである。

「きたねえ部屋だな。とても女の子の部屋には見えん。夢が壊れた」

床の上には本やＣＤがところかまわず平積みになっている。

「一応これでも秩序ある乱雑さなのよ」

沙世子は口をとがらせた。

「あ、これ前の学校の教科書？　見せてよ」

「どうぞ。汚いわよ」

「え、なにこれ、全部使ったあとがあるじゃん」

「うん、二年生までに全範囲ひととおり終えたから」

「ひええ、さすがN高。じゃ、津村、こっちに来たら授業の間が抜けててあきれちゃったんじゃないの？」

「別に。前の学校、つまんない授業だったもん。少なくともあの授業を聞いて、詩人や物理学者になろうと思った生徒はいないんじゃないかな。そういうのって、すごい不幸だと思わない？　まだこっちの学校の方が先生も個性的だし、授業にも広がりがあるわ」

「そうだよな。日本て学歴重視の割には学問の地位低いもんね」

「ねえ、知ってる？　国立大学の予算の半分をT大とK大だけで使ってるんですって。そうよ、こんなに長いことつまんない勉強ばっかさせられたんだもの、あたし絶対どっちかに行って国家予算を使いまくってやる」

「津村はいちいち言うことが激しいなあ。俺なんか、しょせん小心者の点取り虫だからさ、——あ、点取り虫って言葉、なんか懐《なつ》かしくない？——結構、あのあざとくてせこいルール探しみたいな受験勉強って嫌いじゃないよ。学歴社会とかみんなけなしてるけど、いきなり明日からさ、じゃあ君の好きで得意なことやって君の個性を見せてくださいなんて言われたら困るよな。そんな、僕点数で判断してもらわなきゃ困ります、って言い出す奴《やつ》がいっぱいいるんだろうな。俺だってそうだもん」

「そう言い切るところが秋くんのすごいとこよね。あなた自分に自信があるからそんなことが言えるのよ」

「オレ、津村にそんなこと言われる覚えないぞ」

こうして喋っている分には、津村沙世子は反応がストレートで頭の回転も早く、非常に面白い女の子だった。性格にもしなやかな弾力があって、女の子と話をしているような気がしない。

秋は、沙世子が普通の家の普通の子であることに驚いていた。別に謎《なぞ》めいた街はずれの屋敷とか、謎めいた両親とかを期待していたわけではないが、こうも当たり前の姿を家の中まで見せられてしまうと、気抜けしてしまったのも事実であった。

確かに津村沙世子という娘は存在している。自分と同じ十八年の時間を当たり前に積み上げてきた普通の人間として。——あの石碑の名前は単なる偶然に過ぎないのか？加藤が力をふり絞って秋に伝えたメッセージも、単なる彼の思い込みで片付けられてしまうことなのだろうか？

いくら考えても答は出そうになかった。

——ま、見ててくれよ。

設楽の自信ありげな顔が目に浮かんだ。

ほんとに、見てるしかないな、今は。

秋は考えるのをやめた。


由紀夫は少々憂鬱《ゆううつ》であった。

二学期の中間テストも終わったが、どうも成績がかんばしくない。彼は、雅子と同じ地元の国立大学を目指していたが、学年平均点もままならず、当然、進路指導をする黒川の評価もシビアであった。雅子の方はというと、女の子の常でコツコツ勉強するタイプ。そんなに図抜けた成績はとれないものの、いつも一定のレベルをキープし、合格圏内を確保しているらしい。

由紀夫はもともと一夜漬け主義で、気力と体力にものを言わせて勝負強さだけでここまで来た、というタイプであるから、クラブ活動を引退してから始めりゃいいや、とたかをくくっていた。しかし、いざ受験勉強を始めてみると、周囲も今まで以上に頑張っているので、彼ががむしゃらに詰め込んだつもりでいても、なかなか思うように成績は上がらなかった。最近では雅子の方でも「一緒に同じ大学に行きたいね」と、口に出したりするので、由紀夫はますますプレッシャーを感じていた。

「ああっ秋っ、おまえの脳味噌《のうみそ》を俺に分けてくれいっ」

ある日の昼休み、落ち込んでいた由紀夫は思わず頭を抱えて叫んだ。問題集を解いていて、自分で答合わせをした結果がことごとく不正解だったのに腹を立ててであった。

「いいよ」

隣で英作文の宿題をやっていた秋は辞書から目を離さずに言った。

そして、机の上につっぷしている由紀夫の耳元にスッと頭を持っていくと囁《ささや》いた。

「おまえさ、五組の飯島が花宮に告白したの知ってる?」

「えっ」

由紀夫は跳ね起きた。

「『ずっと好きだったんです。大学に行ってもずっとつきあって下さい』」

「で、花宮は?」

「断ったってさ」

由紀夫は胸を撫《な》で下ろした。

「飯島は、おまえのせいだと思って、おまえを恨んでいるそうだ」

秋は英語の辞書に目を戻した。

「でも、当の花宮は、おまえと同じ大学に一緒に行きたいねって言ってくれてるんだろ？　おまえねー、そんな泣き言を言ってる暇があったらその間に一問でも多く解けよ。おまえはその動物的な瞬発力と集中力が取り柄なんだからさ」

秋が言うと全然嫌味に聞こえないから不思議である。

「花宮が受かって、俺だけ落ちたらどうなるんだろうな」

「『由紀夫くん気を落とさないでね。また来年頑張ってね』って、まず花宮が言うだろ。そして花宮は華やかなキャンパス生活に突入して、二つくらい年上のかっこいい大学の先輩がひっさらっておしまい」

「うわー、やだそんなの」

由紀夫は再び問題集にかじりついた。

今度はふてくされずに真剣に取り組んでいるようである。

またしばらくして、

「でもさ」

と、由紀夫が突然切り出した。

「何が『でもさ』なんだよ」

「オレ、秋と津村も似合いだと思うぞ」

「そう？」

「津村だって、俺だとただのバカ扱いだけど、秋は自分と対等だと認めてるってカンジするもんな」

「だめだよ」

「なんで?」

「あんまり両親が優秀すぎると、血がぶつかりあって子供がアホになる」

「長生きするよ、おまえも」


おのおのの日々の悲喜劇を飲み込んだまま、ゆっくり、しかし確実に時は過ぎてゆき、日一日と校内は秋の色に染まっていった。

みんなが何かを待っているようだった。みんなが何かを隠しているようだった。しかし、それが何なのかは誰も分からなかった。

『うたごえ喫茶　みぞぐち』は、早々に学校中で有名になってしまい、放課後みんなで準備をしていると、よそのクラスからゾロゾロと見学に来た。

どうせなら徹底的にドイツレストランみたいにしようと、女の子たちは民族衣装のようなコスチュームやら、カーテンやら、テーブルクロスやらを作りにかかった。メニュー兼歌詞カードも印刷され、調理器具の調達も始まった。

そして、二週間前から溝口の手によって恐怖の歌唱指導がスタートした。他のクラスの連中が面白がって見に来ると、溝口はその連中も引き込んで一緒に歌わせた。

「俺、もう『森へ行きましょう』が頭ん中に焼き付いちまって一日中止《や》まんないんだよ」

由紀夫が泣きそうな声でぼやいた。

「よしよし、おまえだけじゃないよ」

秋は力なく慰めたが、実のところ、彼も『おおブレネリ』がここ三日ばかり頭の中でがんがん鳴りっぱなしなのだった。

——それにしても、と秋は思った。

「今年は見事に隠しおおせてるなあ。全然練習してるとこも分かんないじゃないか」

学園祭のパンフレットに載せる決定稿を渡しに行った秋は、感心するように設楽に言った。

いくら内緒で練習するとはいっても、この時期になると、もうだいたい誰が芝居のキャストに入っているか、なんとなく周囲にバレてしまうものなのである。

設楽はニヤニヤした。

「今年は特別製だからな」

「すげえ余裕だな」

「もうすぐわかるよ」

秋は、既にあの漠然とした不安は感じていなかった。とにかく、もうじきだ。もうじき何かが分かり、何かが終わるのだ。今は『その日』をひたすら待つだけだった。

その一週間前の日。

雅子はねぼけまなこでフラフラ登校した。昨夜《ゆうべ》、勉強したあと、ちょっとだけのつもりで学園祭のコスチュームを縫い始めたのだが、つい夢中になってしまい、はっと顔を上げた時には既に時計は午前三時を回っていた。

「雅子、何をフラフラ歩いてんのよ」

後ろからバシンと肩を叩《たた》かれ、雅子は思わずよろけた。

「おやおや、これは重症だ。勉強のしすぎよ」

沙世子はどうしていつも朝からこんなに元気なんだろ、と朝に弱い雅子はお化けでも見るように沙世子を振り返った。

「あら、あたしも具合が悪くなったのかしらん、ヘンなものが見えるわ」

沙世子は校門の上あたりを指さした。

そこには赤いものがぶらさがっていた。

学校の入口にある、大きな桜の老木の枝に、赤いコーデュロイの布で作った大きなてるてる坊主《ぼうず》が吊《つ》るしてあるのだ。

下を通る生徒たちが、口々に「なんだろあれ」と呟《つぶや》きながら見上げている。

「学園祭の晴天祈願かしらん」

沙世子は首をひねっている。

雅子はいっぺんに目が覚めた。

ああ、あれらのことは夢ではなかったんだ——赤い花の花瓶、荒らされた教室。まだ、あれらのことは続いていたんだ——春の、始業式からのいろいろな出来事が、いっぺんに頭に蘇《よみがえ》ってきた。

とにかくこれで、と雅子は思った。

今年が決まるんだわ。何らかの結果が出るんだわ——彼女はじっと、その不細工なてるてる坊主を見つめた。

「出ましたね、赤いてるてる坊主が。秋の兄貴以来九年ぶりってわけか」

「そうだね」

カバンを置くなり興奮気味に話しかけた由紀夫に対し、秋の返事はそっけなかった。

そもそも、これはいったい誰の書いた台本なんだ？

六番目のサヨコが加藤であった以上、今年のサヨコが書いたものでないことは確かなのである。それは果たして『吉』であるのか、『凶』であるのか？　秋は再び頭の中が混乱してくるのを肌寒さと共に感じていた。

その時、ブツ、と校内放送が入った。

「──全校生徒の皆さん、こちらは学園祭実行委員会です。本日は臨時で、放送による統一ホームルームを行いますのでよく聞いて下さい。皆さん、席に着いて、これから言うことをよく聞いて下さい」

変な放送だな、と由紀夫は思った。何かやらせようっていうのかな、俺たちに。

ゴッ、とマイクに手を触れた音がした。

「おはようございます。学園祭実行委員長の設楽です。今年も学園祭まで、あと一週間と迫りました。連日遅くまで準備に取り組んでいる皆さん、どうもご苦労様です。もう少しですので、事故やケガのないよう、元気に乗り切りましょう。

さて、皆さん御存知の通り、学園祭の初日には在校生のみでイベントを行いますが、今年はわが校の生徒によるオリジナルの芝居が上演されます。──上演されますが、実はこれは私たち実行委員や演劇部員が上演するのではありません」

設楽はいったん言葉を切った。教室内はザワザワした。

こいつ、何を言い出そうとしているんだ？

秋は黒板の上にあるスピーカーを見上げながら、なぜか緊張している自分に気付いた。

「――というのは、今年のこの芝居は、全校生徒が参加することによって、初めて完成するものだからであります。年々、特にここ数年、こうした行事を厭《いと》い、休んだり、抜けたりする生徒が何パーセントか存在するのは否定しがたいところです。しかし、今年は、是非とも必ず参加していただきたい。そうでないと、今年のこの芝居は、始まりもせず、終わりもしないのです。詳しい説明は当日行いますが、とにかく、今年の芝居が成功するか否《いな》かは、全校生徒の皆さん一人一人にかかっているのです。――皆さんがバカにしたり、ふざけたり、気をそらしたりしたらもうその時点でこの芝居はおしまいです。――そういう内容の芝居のため、私たち実行委員も非常に緊張しています。それというのも、芝居の性格上ほとんどぶっつけ本番になるからです。もう一度繰り返して言います。今年のイベントは、文字どおり全員参加によるものです。当日まで、そして当日も、皆さんの真剣なご協力を切にお願いして、私の話は終りにします。――では、次に、開催期間中のその他の諸注意事項を副委員長から――」

教室内は騒然となった。

「どういう意味だあ?」

「俺たちに芝居しろっていうのかよ」

「もってまわった言い方しやがって」

「ほとんど脅迫じゃねえか」

口々に文句を言い合っているものの、生徒たちがこのイベントに強く興味を抱いたのは間違いない。

なかなか設楽も役者だなあ、と秋は思った。

なるほど、一般生徒を参加させるから、道理で普通の芝居の稽古《けいこ》をしてる気配がなかったんだな——それにしても、いったい何をやるっていうんだろう?

設楽の挨拶《あいさつ》は、それを狙《ねら》ってのこともあったのだろうが、学園祭への関心と密度をいっぺんにぐうっと濃くしたようであった。お祭りが近いのだ、ということを全校生徒が改めて確認したのだ。そう、お祭りのあいだは、普段と違うことが許される。普段と違うことが起きる。そういう日が近付いているのだと、みんなが自覚したのだった。

——みんながそのことを知っている。みんながそのことを考えている。みんなが今まで、隠してきて黙っていた何かが暴露されようとしているのに気付いている。しかし、それでもみんなそう思っていることを口に出そうとはしない。タブーというのはすごいものだ。この千人以上もの若者たち、かび臭い因習とは縁遠いはずの彼らが、それを口に出さずに守り続けている根拠というのは、いったい何なんだろう? それは、この学校の敷地内に一歩足を踏み入れた瞬間から力を持ち始める。奇妙な圧力を持ち始める。普段はまるっきり意識もせず忘れてしまっているというのに、彼らはここにやってきた瞬間からそのことを『わかって』いるのだ。なぜだろう? そして、なぜ今年に限ってそれが表面に表れようとしているのだろうか？

秋は、校内に渦巻いている、浮かれたような、それでいて怯《おび》えたような不安定なエネルギーに神経を尖《とが》らせている自分を強く感じていた。

校内は殺気だってきた。

生徒たちのあいまいな計画、いいかげんな見積もりの甘さが露呈される時期を迎えたのである。なんとかなるだろうという予想は簡単に裏切られ、たいしてかからないと思っていた作業にてこずり、生徒たちは真っ青になり、イライラし、喧嘩《けんか》をし、悪態をつきながら駆けずり回った。

一方、『うたごえ喫茶　みぞぐち』は徐々にその全貌《ぜんぼう》を現しつつあった。

近所の小学校から借りてきたオルガンとアコーディオンが運びこまれ、赤を基調とした店内装飾用のファブリックも揃《そろ》った。ウエイターとウエイトレスの衣装も続々と出来上がり、女の子たちがサイズを測るのに苦労を重ねた、店長である溝口の衣装もついに完成。下は学生服の黒ズボン、上はカッターシャツに赤の蝶《ちょう》ネクタイにチェックのボレロといういでたち。着せてみた同級生たちは唸《うな》った。

「うーん、どうしてこんなに似合うんだろう？」

「不思議だ——そうか、溝口は本当はドイツ人だったんだっ」

生徒の一人が、どこかからつけ髭《ひげ》を持ってきた。それをくっつけてみると、彼は完璧《かんぺき》にドイツレストランの店長そのものだった。

前日、店長は従業員たちに最後の店員教育を施し、本番に備えた。

学園祭の前日の校内は、忙しく動き回る生徒たちの姿で溢《あふ》れ、指示する大声やトンカチの音などが休みなく響きわたり、せわしない活気に満ちている。

「一日で学園祭っぽくなっちまうからすごいよなあ」

校庭の芝生に並んで座り、校舎の窓に貼《は》られていくディスプレイを見ながら由紀夫が呟いた。

「三日経《た》てばただのゴミくずなのになあ。学校っていうのは、全くくだらないことにエネルギーを搾《しぼ》り出させるところだな」

秋はあぐらをかいて、愛用のカメラをいじくっていた。

由紀夫は秋が返事をしないのにも構わず続けた。

「――くだらないエネルギーといえば、あの『サヨコ伝説』云々《うんぬん》くらいくだらないエネルギーを使ってるものはないな。よくあんなものが十五年も続いてきたよなあ」

「うん。でも、あの『サヨコ』シリーズの面白いところは、いつも、見たことない人、やったことのない人がこれをやるというところだな」

「え？」

「例えばさ、今年俺たちがサヨコの年だろ。次にサヨコをやるのは、今中学三年生の奴《やつ》らで、今年のサヨコを見た奴の中でやる奴はいないんだ。それがすごいと思うんだよ。今年のサヨコを見た下級生が、また上級生になってそれを踏襲していくんじゃなくて、常に頼りになるのは、実行委員会に残されたマニュアル一冊と、サヨコ本人に渡される手紙だけ。同じサヨコをやってるつもりでも、きっと毎回全然違うことをやってるんだろうな――毎回手探りで、伝説と想像が頼り。ほんとに変な行事だよ――下が上を真似《まね》ていく学園生活に対する抵抗のようでもあるし、パロディのようでもあるし――いつも未知のものをやるってことでは、たとえ初代の『小夜子』を再上演したんだとしても、毎度オリジナルのサヨコをやっているのと同じ意味があったと思うよ」

「でも、それってさ――この『サヨコ』というものをやること自体にいったいなんの意味があるっていうんだよ」

「それは永遠のテーマでしょう」

秋は、自分が父と同じことを言っているのに気付いた。

『お客さん』――ひょっとして、この『サヨコ』という不条理な因習そのものが『お客さん』なのかも知れぬ。だとすると俺たちは――津村沙世子も含めて――いったい何を試されているのだろう？　この質問に答はあるのだろうか？

「でもね――秋の話とかいろいろ聞いてるとさ、もうかれこれ十五年近くこのあほらしいイベントを続けてるわけだけど、どこか一本、中を貫いてる誰かの強力な意志を感じるんだよね。途中、このイベントそのものがなくなりそうな危機がいくつもあったわけじゃん。やめようとかさ、死んじゃうとかさ。三年に一度ったって、『渡す役のサヨコ』が送るの忘れちまったり、渡す時に誰に渡したか分かんなくなっちゃったとかさ、そういうことも起こり得るわけじゃない。でも、続いているだろ？　アクシデントが起きた時も、しつこく、しつこく、誰かの手で軌道修正させられてるって感じがすごくする」

「おまえにしては珍しく論理的じゃん」

「いや、これはカンだよ。——いったい誰の意志なんだ？」

二人は黙り込むと、照明の機材を運ぶ実行委員たちを眺めた。

その答は明日分かるかもしれない、と言おうとして秋はやめた。

「今年も写真撮んの？」

急に由紀夫は話題を変えた。写真部のというよりも秋の趣味で、学園祭の期間中、活動する生徒たちのスナップを撮って翌日すぐに写真部で展示するのだ。期間終了後、その大量のスナップは写っている人に譲る、というのが秋の一年生の時からの習慣だった。

「うん、今年は特定の個人を重点的に追っかけてみようかなと思って」

「へえ、珍しい」

「いいかげんボランティアも飽きたしなあ。今年は津村のブロマイドをばんばん撮って高値で売ろうかな」

「あー、俺それ買う」

特定の個人を重点的に、などとポロリと漏らしてしまったのは、あの、八月の海辺での津村沙世子との会話がどこかに残っていたせいだ、と秋は気付いていた。沙世子はあの時痛いところをついていた。「どれもちょっとずつ」などと控えめに答えたけれども、本当はどれも「ちょっとずつ」どころではなかった。他人が自分の中に踏み込んでくるのが怖い――他人の中に踏み込んでいくのも怖い――自分は他の大勢の人間とは違うのだ――自分の心をほんのちょっとでも掘り返せば、そういう感情が山ほど転がり出てくるのを秋は知っている。自分の傲慢《ごうまん》さ、薄情さ、小心さが、自分の撮る写真を通して他人にバレるのを彼は何より恐れていたのだ。

――でも、今年の学園祭の終りには、津村と、花宮と、由紀夫の写真を撮ってやろう。

秋はその時決心した。

真っ正面から、どアップであいつらの写真を撮ろう。

そして、その日はやってきた。

何の変哲もなく、何の特徴もない日だった。

強いて言えば、ほんの少し生暖かかったかもしれない。

その朝、秋は通学途中からカメラを手にして、登校してくる生徒たちを通学路、校門、玄関、教室と片っ端から撮りまくった。

教室に着いても彼は同級生たちのスナップを撮り続け、講堂に集合して下さいという校内放送のアナウンスが入るまでに、既に三本のフィルムを使い切っていた。

そして、全校生徒が講堂へと集まった。

足を踏み入れた瞬間、秋は、強く張り詰めた空気が漂っているのにびっくりした。お揃いのTシャツを着た実行委員たちがピリピリしているのが肌で分かる。ふざけながら入ってきた一年生たちも、中の異様な雰囲気に圧倒されて、たちまちおとなしくなった。

正面の舞台脇《わき》の演壇に、実行委員長の設楽が陣取っている。

「――生徒の皆さんはクラス毎《ごと》に横に一列に座ってください。一番はじにクラスの番号を書いた札が置いてありますが、二年生からクラス順に前から座っていってください。二年生の次が三年生、次が一年生です。一番前の列は二年一組で、一番後ろが一年十組です。繰り返します――」

いつもは落ち着いている設楽が、珍しく緊張し、興奮しているのがマイクの声からかすかにうかがえた。

講堂の窓という窓はすっかり暗幕に覆《おお》われており、室内灯があかあかとつけられていた。舞台の上には緞帳《どんちょう》が降りており、風格のあるえんじ色が鮮やかだ。

秋はキョロキョロと周囲を見回した。席に着いた生徒たちの周りを囲むように、実行委員たちが段ボール箱を持って立っている。彼らは皆、腰に鎖を付けたペンライトを下げていた。先生たちは、講堂の隅に縦に一列に並び、生徒たちの方を向いて座っている。ひたすら高見の見物を決め込み、のんびりおしゃべりをしている。

さらによく見ると、後ろや脇、二階などあちこちに照明係が待機しているのに気付いた。

「——席に着いたら、なるべく横は隙間《すきま》をあけないでください。必ず詰めて座ってください。——これから十分間ほどオリエンテーションをします。質問はそのあとで受けます。そして、さらに十分間の休憩をおいて、この芝居を十時ぴったりにスタートします」

設楽がやけにビジネスライクな口調で説明した。生徒たちがどよめきはじめる。

「さて、これから皆さん一人一人に番号のついた紙を渡します。渡されたら、隣の人と連番になっているかどうか、一番はじの人は前の人と連番になっているかどうか確認して下さい。私に一番近い二年一組の生徒が一番です。その隣の人が二番、その隣が三番。で、一番向こうはじの人が四十番とすると、その後ろの二年二組の人が四十一番です。その要領でいくと、最後の番号の人は——本校の生徒の総数は実行委員を除いて千二百九十八名で、二名が今日現在欠席しているため、千二百九十六名——ですから最後の人は千二百九十六番ということになります。皆さん、確認をお願いします」

実行委員たちはすばやく列の中を動いて、赤いマジックインキで大きくナンバーの書かれた二つ折の紙を生徒たちに配っていった。

秋と由紀夫、雅子と沙世子は並んで座っていた。彼らの番号は、秋が八百三十番、由紀夫が八百三十一番、雅子が八百三十二番、そして沙世子が八百三十三番だった。

「——さて、皆さん。番号の方は確かめていただけましたでしょうか？　いよいよ説明に入るわけですが、もう既に皆さん薄々感づいていらっしゃると思います。——皆さんは、小学校時代に『呼びかけ』というものをやったことがあるのではないでしょうか？——でもこれ、ひょっとして、地域性のあるものなのかな？　ざっと説明しますと、小学校の卒業式などで行うイベントの一つで、生徒たちが、小学校の思い出や、先生方への感謝を文章にして、一人ずつ、ワンセンテンス毎に大きな声で読んでいくわけです。最後の方はみんなで声を揃えて『どうもありがとうございました』なんて言ったりしてね。——この『呼びかけ』をこれから高校生の我々がやろうというわけです」

会場は訝《いぶか》しげな声にざわめいた。

「ただ、高校生の我々は、打ち合わせなし、練習なしの一発勝負です。——ここにですね、私たちスタッフが苦労して作ったペンライト付きマイクというものがございます。

要するに、マイクとペンライトを互い違いに逆さになるようにガムテープで巻いただけなんですけどね。——これを、先ほどお渡しした紙のナンバー順に、一番からどんどん隣に渡していって、ペンライトで紙の中を見て、マイクで読む。これをえんえんと続けていくわけです。紙の中を見れば分かりますが、ごく短いセンテンスです。例えば、隣からマイクを受け取り、『僕は設楽正浩です』という一文を読んで隣に渡す。これで三秒だとします。そうするとですね（彼は電卓を取り出した）、一人三秒として、エーと、全校生徒が千二百九十六名で三千八百八十八秒、これが何分かというと六十四・八分です。これはあくまで計算上の数字ですから実際のところはどうなるか分かりませんが、大体このくらいの時間がかかると思います。——え、なぜペンライトがいるかって？　実は、この芝居の性格上、会場を暗くさせてもらうからです（えーっ、と生徒たちから悲鳴が上がった）。——さて、ここからが大変なんです。よーく聞いてくださいね。皆さん、皆さんの位置からこの二つのパトロールランプが見えますか？　見えない方、見えにくい方は手を挙げてください」

設楽は、あの、パトカーについているくるくると光の回るパトロールランプを手で示した。

「これは御覧のとおり、赤いランプと」

設楽は赤いパトロールランプをつけてみせ、

「黄色いランプです」

黄色いランプをつけてみせた。

「この赤いランプは、芝居のト書きで言うところの『間《ま》』です」

設楽は一息ついた。

「例えば、Aさんが読んでいる時にこのランプがついたら、マイクを受け取ったBさんは、このランプが消えるまで、自分の台詞《せりふ》を読んではいけません」

げー、難しい、という声が上がった。

「で、もひとつの黄色いランプは何かというと、これは、急げ、急いでしかも大きな声で読めという合図です。このランプがついたら、その時読んでいる方は少しテンポを早めていただきたい。このランプが私たちも一番心配なところなんですけどね。なんせリハーサルなしですからね。ただし、急いでほしいけれども、慌《あわ》ててはいけません。とにかく、読んでいる内容がみんなに聞こえなければ、芝居になりませんからね。抑揚をつける必要は全くありませんので、とにかくはっきりと、よく聞こえるように読んでください」

生徒たちのザワザワという声は大きくなった。

「ルールはこれだけです。とにかく、シラけても、盛り上がらなくても、最後まで続けます。何度でも言いますが、緊張感を最後まで持続できるかどうかは皆さんの協力にかかっています。——内容についてひとこと言っておくと、これは一人の人間の独白です。本来ならば一人で全部の台詞を言う一人芝居の台詞を、千二百九十六人でえんえんとつないでいこうという趣向なんです。——何か質問はありますか？（場内はシンとした）なければ、十分間の休憩を挟んでから、いよいよこの芝居を始めようと思います。——場内が暗くなって、実行委員が一番の人にマイクを渡し、肩をとんと叩《たた》いたらスタートして下さい。えー、それでは皆さんの健闘をお祈りしております！」

場内は騒然とした。みな、自分の紙を開いて中身を読んでいる。ブツブツと台詞を読む声で講堂の中はわあんと音が響き渡っており、騒々しいことこの上ない。

雅子たちは四人で台詞をつなげてみたが、本当にひとつひとつが短い文章なので、ほとんど何の意味だか分からない。

「とんでもない企画を考えつきやがったなー、全く」

由紀夫はしかめつらでブツブツと自分の台詞を読んでいる。

「真っ暗なとこでじっと待ってるなんてやだなあ。眠っちゃったらどうしよう」

沙世子が大声を出した。

「あたし、上がっちゃう。黄色と赤のランプ、間違えたらどうしよう。赤がトマレで黄色がイソゲよね」

雅子は不安そうに遠くにあるパイロットランプを見つめた。

——秋は、どうしても『百物語』が連想されてしかたがなかった。一つの部屋に集まった人々が百本のロウソクを点《とも》し、一人ずつ怪談を話し終える度に一本ずつ火を消してゆき、最後の一本が消える時真の魔性が現れるという、あの遊びだ。俺たちは今、とんでもないことを始めようとしているのではないだろうか？

突然、ジリリリと大きくベルの音が鳴り響いた。生徒たちはビクリとする。場内はパタリと静かになった。そして、それまでの喧騒《けんそう》が嘘《うそ》のように、異様なほどの静けさが訪れた。

千三百人もの人間が何もないところでじっと黙って座っているなんて、不思議な風景だわ。雅子は息が詰まりそうになった。急に重たくなった空気に耐えきれず、あちこちで咳払《せきばら》いが聞こえた。が、やがて、その咳払いもとぎれ、再び場内は真の沈黙に包まれた。

その静寂を見計らって、設楽がマイクを持って静かに宣言した。

「——僕は、今回の芝居のタイトルは言わないつもりでした。これは、僕たちにとって、一種のタブーだったたからです。でも、この芝居にはやっぱりタイトルが必要なんじゃないかって、今の休憩時間に考え直しました。それで、今、言おうと思います。——では、もう十時ですので、皆さんと一緒にこの芝居を始めようと思います。タイトルは、——

『六番目の小夜子』」

それを合図にフッとあかりが消え、講堂の中は文字通り暗闇《くらやみ》になった。生徒たちは一瞬動揺する気配を見せたが、それもほんの少しの間のことで、すぐに落ち着いた。

雅子も、目の前が真っ暗になって思わず焦《あせ》ったが、両脇の二人が静かに座っているので自分だけ取り乱すのはみっともないと、気を取り直した。

ガーッと、鈍く緞帳の上がる音がした。

静かに音楽が流れ出した。懐《なつ》かしくて、何度聞いても古い記憶の底にズズッと沈んでいくような感じのする、エリック・サティの、あまりにも有名なジムノペディ。

そして、ずいぶん長く待たされたような気がしたが、やっと演壇のところでペンライトがともり、そのライトがスッと一番目の生徒のところへ動くのが見えた。

緊張した声が聞こえ始めた。芝居が始まったのである。

「皆さんは、この花瓶を見たことがあるでしょうか」

緊張こそしていたものの、声ははっきりと聞き取れた。はりのある、男子生徒の声──そこでいきなり闇の中にパッと赤いランプがついた。間。

舞台の上にサッとピンスポットがあてられた。そこには、赤いバラを飾ったあの花瓶が、どっしりと自分の存在をアピールするかのように、教卓にのせられていた。見事なバラの花は、まるで意志を持って生きているように生々しく輝いて見えた。由紀夫は、四月の始業式の日の朝にぐうっと時間を引き戻されたような気分になった。今にも新しいクラスのざわめきが耳元に聞こえてくるような。——今にも津村沙世子が乾いたまなざしでスッと教室に入ってくるような。

赤いランプが消えた。

「これは、とても面白い花瓶です」マイクに紙を広げるカサ、という音が入る。

「今まで何人もの人たちが」

「この花瓶をある合図として」

「教室に飾ってきました」

「それがなぜか、皆さんは御存知でしょうか」赤いランプ。

講堂の闇の中に、ピンと一本の細い糸が張り巡らされているようだった。

人の声というのはなんて面白いんだろう、と秋は思った。とてもでこぼこで、いろいろな色がついていて、さまざまな模様をしている。それぞれの声からイメージされる、その声の持ち主の姿が、闇の中で増幅され、動物になったり、石になったり、伸びたり縮んだりするのが見えるような気がした。

「この花瓶はある意味で」

「この学校を象徴しているのです」(読む方も慣れてきたらしく、明らかに声がリラックスし、だんだん一定のテンポで台詞が続くようになった。声は、男になり、女になり、低くなり、高くなり、細くなり、太くなり、お経を読んでいるようにゆるやかに続いた）「さて、皆さんはもうこうして十年以上」「学校というものに通っていることになりますね」「学校というのはなんと不思議なところなのでしょうか」「そんなふうに考えたことはありませんか」「学校って何のためにあるのでしょう」「もちろんそんなことはわかりきっていますね」「そう、勉強するための場所なのです（ここでいきなり声がひょうきんになり、一瞬笑い声が起きた）」「でも勉強するためだけならば」「何もここでなくたってできる」「おかしいと思いませんか」「試しにそこの教室を覗《のぞ》いてごらんなさい」「何が見えますか」「たくさんの同じ大きさの机と椅子《いす》」「どれも同じ形をしているがらんとした四角い部屋」「この部屋は何」「そう、これは容《い》れ物なのです」「何を入れるのでしょう」

赤いランプ。少々長い間。

「そう、人間です」

その文を読んだ生徒の声があまりにも乾いていたので、その『人間』という言葉の冷たい響きに雅子はピクリとした。「――そう、あなたたちを入れるのです」「あなたたちをこの一つところに集めるためにある場所なのです」「この場所に足を運んでもらうがための口実に」「皆同じ服を着せ」「皆で勉強しようというのです」「こんな狭いところに四十人も」「時には五十人もいる」「もしここで生活をしようというのであれば」「こんなところに四十人も五十人も」「入っているなんてことは」「とても考えられませんね」「しかしここでは」「みんなが前を向いて」「そこに何時間も座っている」「みんなが前を見て」「先生の話を聞く」「みんなでこの場所に」「いる」

雅子は、だんだんと長い夢をみているような心地になってきた。——この暗闇の中で、あたしはじっと座っている。少しずつ、声のする位置が移動していく——さざ波が寄せていくように。まるで、この講堂そのものがピアノか何かの楽器で、誰かがその楽器を弾いているみたいだ——あたしたちは鍵盤《けんばん》なのだ。誰か大きな、あたしたちには見えない人が、あたしたちを弾いているのだ。

「同じ話を四十人で聞いて」「四十人が同じことを考えるとは」「限りませんね」

ここで、間があったのかと思ったが違った。次の列にマイクが渡ったのである。

「みんな同じ場所でじっとして」「何を考えているのか」「今夜のおかずはなんだろう」「帰りにどこに寄ろうか」「眠いなあ」「この席で居眠りすると見つかりやすい」「どうしよう、おなかが痛い」「難しくてわかんない」「隣の子はテスト何点だったんだろう」「私よりも成績が良さそうだ」「でも性格は悪いから」「彼の方が」「クラスで人気がある」「背も高くて」「人のことを気にするなんてバカだ」「あいつなんか嫌いだ」「教科書に落書き」「退屈」「あと何分」「あの子は誰が好きなんだろう」「誰のことを」（黄色いランプがついた）「なぜあの子が」「私よりも」「なぜあいつなんかと」「私の方がきっと」「私なんかどうせ」「私だってきちんとやれば」皆、いつのまにか声が大きくなってきた。「私はどんなふうに見えるんだろう」「どんなふうに思われているのか」「好かれてる」「陰で何か言われてたら」「ほんとはけむたがられてるのかも」「私は」「私って」

「私の」

声が錯綜《さくそう》し、突如、その暴走する声をいさめるかのように、赤いランプがついた。

再びシーンとする場内。やかんを沸かしていた火を止めたように、すうっと温度が下がっていく空気。低く流れ続ける音楽。

今のスピードはなんだったんだろう、と由紀夫は思った。ものすごくマイクの渡るのが早かったぞ。暗闇の中で、みんなが恐るべきスピードでマイクを手渡しているところを想像すると、滑稽《こっけい》でもあり、気味悪くもあった。

「こんなにたくさん」「同じ歳《とし》の子が」「一か所にいて」「みんなてんでバラバラのことを考えている」「この場所は」「そういうところなのです」「あなたがカバンを置いたその机」「あなたが今座って頰杖《ほおづえ》をついている机」「あなたが居眠りをしている机」「その机はずっと同じ場所にあって」「一年前も」「そのまた前の年も」「あなたと同じ歳の誰かが」「その場所に座っていた」「頰杖をついていた」「居眠りをしていた」

赤いランプ。

「みんな入れ替わり立ち替わり」「同じことをしているのに」「誰も」「私がここにいる

ことに」「気付いてくれないのです」

赤いランプ。

「私はずっとここにいたのに」「ずっとみんなを見ていたのに」

赤いランプ。

「そこで私は」「私の代わりに」「私の言いたいことを伝えてくれる」「ある女の子を」

「皆さんに送ることにしたのです」

赤いランプ。

その気配は徐々に押し寄せてきた。

耳を澄ましている生徒たちが、ピリピリし始めているのである。

マズイな、と秋は思った。この芝居はマズイ。だんだん、まずい方向に向かっている。

言ってはいけないことを、こいつは（こいつとは誰だ？）言おうとしている。皆、この芝居がパンドラの箱をこじあけようとしていることに気付き始めたのだ。

設楽のアホんだらめ！　なんでこんなヤバイ芝居を上演する気になったんだ？

しかし、もう列車は走りだしていた——誰にも止めることはできない。

「その女の子の名前は」「サヨコといいます」

雅子はビクッと身体《からだ》を震わせた。沙世子は隣で静かに座っている。あたしだったら、こんな状況で自分の名前を呼ばれたら泣いちゃうわ。

「私はまず」「この美しい花瓶を用意しました」

再び、ピンスポットで花瓶が照らし出された。

「私はきれいな花が大好きです」「特に赤い花が」「美しい花を入れたこの見事な花瓶は」「私の少女たちにさぞ似合うことだろうと思われました」

誰かが後ろの方で、か細い声で泣き出した。一年生の女の子が、この異常に張り詰めた雰囲気に耐えかねて泣き出したのである。周りにいるらしい女の子のなだめる低い声が聞こえ、泣き声は小さくなり、低く流れるジムノペディの音楽にかき消された。

「最初のサヨコは」「とてもよくやりました」

みんなのあっという小さな叫び声が聞こえた。舞台の花瓶の後ろに、セーラー服を着た誰かが立っているのが見えたのである。スポットは花瓶に当たっているので、立っているのが誰なのか分からない。

「私の思っていることを」「とてもよくみんなに伝えてくれました」「こうして」「この花瓶の前に座って」「最初のサヨコは」「伝えてくれました」――間。

「私はとても」「満足しました」「みんなこれで」「私の言いたいことがわかってくれるだろうと」「私のことを理解してくれるだろうと」「私がここにいることに気付いてくれるだろうと」「でも」「一年も経《た》つと」「私はまだ」「言い足りないことがあると」「まだあれでは不十分であったと」「考えるようになりました」

間。

雅子はだんだん背筋が寒くなってきた。――怖い。このお芝居、なんだか怖いわ。なにこれ、あの、秋くんたちが言ってた話じゃないの。みんな気持ち悪くないのかなあ、この話。

「二人目のサヨコは」「私はとても気に入っていました」「遠くからやってきた子で」「きれいで」「私の考えているイメージにピッタリでした」

二階にパッとスポットが当たり、そこにも誰かが立っていた。首から下に光を当てているので、やはり女の子であるということしか分からない。

「でも」「残念なことに」「この子は」「私の言いたいことを」「みんなに伝えてくれる前に」「事故にあってしまったのです」

キキキキ、ドーンという激しい効果音が二階の方から聞こえてきて、生徒たちは思わずギクリとした。二階へのスポットがフッと消えた。

――おいおい、これはちょっと趣味が悪すぎるぜ！

秋は、目の前に燃え上がる車を見たような気がして、思わず顔を手で覆《おお》った。

誰か止めてくれ！

その時彼は、遠くの方でかすかな、地鳴りのようなゴーッという妙な音を聞いたような気がした。何の音だろう？　効果音でも、スピーカーのノイズでもないな。

生徒たちは徐々に恐慌《きょうこう》状態に陥ってきていた。しかし、その一方で、何かに魅入られたかのように、皆台詞を読むのをやめなかった。

「私はとても残念でした」「悔しく思いました」「しょんぼりしました」「すぐにでも別の子に頼みたかったけれども」「我慢しました」「もうちょっと待とう」「今年は運が悪かったのだ」「もう少し」「次の子を見つけて頼むまで」「言いたいことを」「整理しておこう」「と」「また三年間待ったのです」

赤いランプは、夢のように、深海で光るアンコウの光のように点灯していた。

あれは本当に設楽がスイッチを押しているのだろうか？　実はひとりでについたり消えたりしてるんじゃないのか？

「さて」「三年後」「私は驚きました」「三番目のサヨコは」「男の子だったのです」

舞台の上でギッ、という音がし、ポッとあかりがともった。舞台の上に立っている誰かが、懐中電灯で自分の足元を照らしているのだ。黒い学生ズボンの、膝《ひざ》から下がポカッと舞台の上に浮かんだ。

「男の子で」「大丈夫かしらと」「私は心配しました」「でも」「そんな心配は」「不要でした」「この子は」「よくわかっていました」「前に言うことのできなかった」「二番目のサヨコの分まで」「よく思い出して」「よくしゃべってくれたのです」「どんなに嬉《うれ》しかったことか」「どんなに」「満足したことか」

やめろ、やめてくれ、このままでは六番目のサヨコまでいってしまう、今年までできてしまう！　秋は心の中で絶叫していた。頼む、やめてくれ！

雅子は今では耳を塞《ふさ》いでいた。なぜだかよく分からないけれども、怖くて怖くて聞いていられないのである。由紀夫はじっとりと冷汗をかきながら、じっと腕を組んで舞台の上を見つめていた。金縛りにあっているみたいだ。目をそらしたいのに、顔をそむけたいのに、舞台から視線をそらすことができない。

「次の二年間を」「私は夢見るように過ごしました」「私の少女たちは」「なんとうまく」「やってくれることだろう」「なんとすばらしい」「いい子たちなんだろう」「私は」「過去のサヨコたちが」「私に与えてくれた」「私と共有した」「至福の時を」「思い出し」「反芻《はんすう》しながら」「この二年間を待ったのです」

「なのに」（突然黄色いランプがついた）「**なのに！**」（ランプは消えた）

間。

「私は」「四番目のサヨコが」「大嫌いでした」「わがままで」「傲慢《ごうまん》で」「私の言いたいことなど」「私の伝えたいことなど」「一言も聞いてくれないのです」「一言も」「私のことを」「伝えてくれようとは」「しません」「でした」――長い赤ランプ。

「だけど」「彼女は」「まだ」「良かったのかもしれません」「五人目の」「サヨコは」「いなくなって」「いなくなって」「いなくなってしまった」「私が」「まだ何も」「なんにも」

「去ってしまった」「行ってしまった」「何の形跡すら残さずに」「行って」「行って」「行って」「反応せずに」「どこかへ」「何も」「託さないうちに」「サヨコは」「伝えないうちに」「五人目の」「しまった」

雅子は、心臓があまりに激しく打つので、音が周囲に聞こえているのではないかと思った。そして、遠くの方でゴーッという低い音を聞いたような気がした。

舞台の上には、いつのまにか五人の人間が、足元を懐中電灯で照らしながらひっそりと立っていた。前に二人、後ろに三人。四人は女の子で一人は男の子。由紀夫は必死にひざから上の顔を見ようとした。実行委員がやっているのだろうと思うものの、どうしても顔が見たかった。しかし、闇に溶け込むように、誰ひとりとして顔を見ることができない。

「――今年は」

泣き出しそうな女の子の声が、ゴクリと唾《つば》を飲み込んでから台詞《せりふ》を読んだ。

「すばらしい」「今までの」「私の空白を」「埋めるかのように」「同時に」「いくつもの素材が」「いくにんものサヨコが」「私の前に」「現れてくれた」「私は感謝する」「みんな」「いくにんものサヨコが」「私の言うことを」「聞いてくれている」「私の考えていることを」「読み取ろうと」「してくれている」「ありがとう」「嬉しい」「私も一生懸命」「あなたたちサヨコに」「伝えようとしてきた」「でも」（黄色いランプがついた。さらに、狂ったようにランプは振り回された）「私は」「もう」「我慢ができない」「あなたたちサヨコという」「媒体を使っているだけでは」「私はもう」「もどかしい」「私は」「やはり」「自分で」「話さなければならないと」「思い」「やはり」「決めた」「私は」「自分で」「六番目のサヨコに」「なることに」「したのだ」「そう」「私なのだ」「私がサヨコなのだ」「私は」「皆さんの前に」「みんなのところに」「やってきた」「そう」「来た」「来た」「**来た**」「**今**」「**ここに**」「**ここに**」「**ここに**」「**そう**」「**ここに！**」

バーン、という大きな破裂音がし、闇を切り裂いてキャーッという激しい悲鳴が上がった。みんなが一斉に声のした後ろを振り返った。後ろに何本ものスポットライトが当たり、狂ったように光が飛び回った。後ろの方に座っていた一年生たちがガシャンガシャンと激しく音をたてて椅子から立ち上がった。ついに糸が切れてしまったのである。講堂の中は大騒ぎになった。つられて、どの生徒たちも波が押し寄せるようにわっと立ち上がってしまった。後ろの壁には、ライトがのっぺりした白い壁を映し出しているだけで何もない。

「誰だ？」「誰？」「誰かいるぞ！」

パニックに陥った生徒たちが金切り声で口々に叫ぶ。動き回り、この場を逃げ出そうとする生徒で講堂の中は騒然とし、暗闇《くらやみ》の中を興奮と恐怖に満ちた叫び声が飛び交った。パイプ椅子のぶつかりあう耳障《ざわ》りな金属音が響く。

「あかりを！」

「あかりをつけろ！」

先生の叫び声がした。

その時。

ゴオーッという、みんなの騒ぎをもいっぺんに包み込んでしまうようなすさまじい轟《ごう》音《おん》がとどろいて、講堂全体が大きく揺れた。

「うわっ」

その激しい揺れに動きを奪われ、生徒たちはその場に座り込んだ。

ドーンという地響き。

設楽はその時、何となく舞台の上を振り返った。あとで考えてみてもなぜだか分からなかった。

そして、彼は自分の目を疑った。

そこには、五人の人間の他に、六人目の人間の足が照らし出されていた。スラリとした女の子の足が。

彼らはその瞬間、ボーリングのピンのようにきれいに並んでいた。設楽がキャストとして用意した五人以外の、六番目の少女が立っているのを、彼は確かに見たのである。

バン、という耳をつんざく大音響が響き渡り、講堂の脇《わき》の、大きな鉄の扉が倒れ、床がどおんと震動した。暗闇だった空間にいきなり光がサアッと射《さ》し込んで、一瞬中にいる者の目を潰《つぶ》し、それに面食らっている間もなく、そこへすさまじい勢いで突風が吹き込んだ。バラバラと台詞を書いたカードが飛ばされ、ザアーッと講堂の中に舞い上がった。風の勢いは物凄《ものすご》く、人の座っていない椅子が凶暴にガタガタと隅に押し退《の》けられた。突然、生徒たちの目の前に真四角に切り取られた風景が開け、そこからゴウゴウと風が吹き込み続けた。

「あっ」

「あれは」

目もろくにあけられぬほどの突風の中、しっかり雅子を抱きかかえていた由紀夫は叫んだ。雅子も彼にしがみつきつつ、その信じがたい光景を見た。

——夢のような光景だった、とあとから思い起こす時由紀夫はいつも思った。

真四角に切り取られた風景には、昔、子供の頃映画で見た『オズの魔法使い』そのままの、イメージどおりのものがそこにあった。墨絵のように暗い空の遠い彼方《かなた》に、砂時計のような形をしたものが、神経質な生き物のように身体を小刻みに揺らしながら、立っていた。

彼は、（あとから聞いてみると雅子もそう思ったということだが）それを美しいとすら思った。誰かが、ほらきれいだろう、と、わざとここの部分だけ切り取って見せてくれているのではないか、と思った。それほどこの光景には現実味がなかった。

「竜巻だ」

誰かが叫んだが、誰もが身体を動かせずに、その四角い風景を眺め続けていた。

――あの表情は恐怖ではなかった、とあとで秋も思った。みんな、子供のような、夢見るような表情で、あの風景を眺めていた。よくできた手品か、映画でも見ているようだった。そして、スローモーションのように、その生き物は少しずつ動きながらみんなの視界から消えていった。その時間は、一分とも、五分とも、または二十分とも、あとでさんざん意見が分かれた。

ゴーッという、その音はだんだん遥《はる》か彼方に遠ざかってゆき、

――そして再び静寂が訪れた。

この地方では珍しい竜巻が発生したのは、午前十時二十分頃ということだった。市の南西部から北東部に向けて斜めに突っ切り、二百戸近くが強風で倒壊、ガラスが割れたり一部が破損した家は二千戸以上になるだろうと伝えられた。生徒たちが校庭から下の市街を眺めると、一直線に竜巻が通っていったあとを見ることができた。幸いなことに死者は出なかったが、負傷者は三十名を超えた。竜巻の通り道の周囲には、なぎ倒された木や、電柱や、ひっくり返った車などが累々《るいるい》と続いていて、そのすさまじいパワーを

見せつけた。その後数日間に亘《わた》り、竜巻を撮影したフィルムが何度もニュースで流されたが、みんな口々に「もっと大きかった」「もっと凄かった（もっと美しかった）」と言い合った。

講堂は、北側の扉が外れ、北側の窓ガラスが半分近く割れたが（暗幕を張っていたので飛び散らずに済んだのである）、あとは校庭の木が何本かなぎ倒された程度で、ほとんど被害はなかった。そこで協議した結果、講堂だけを閉鎖して、学園祭は午後から再開されることになった。

「おい、秋、あれを見ろよ」

椅子《いす》を運び出していた秋は、由紀夫の指さす方向を見た。

あの、黒い碑のあるところの桜の木の幹が割れていた。他の桜の木は無事だったのに、選んだようにその木だけが無残な姿をさらしていた。

二人は無言でその木を見つめていた。

戻ってきたサヨコは、勝ったのだろうか、負けたのだろうか。

秋には分からなかった。

何か憑《つ》きものが落ちたみたいに、校内は明るかった。

どこにも、もうあの緊張感や不安、あの何かをじりじり待っているという感じはなかった。みんな解放感ではしゃいでいるみたい、と雅子は思った。が、そんな雰囲気をじっくり味わっている暇もないほど『うたごえ喫茶　みぞぐち』は連日大盛況であった。一説によると、三日間で入場者は四百人を超えたとも言われている。店長である溝口は歌いまくって、さすがに最終日にはのどが嗄《か》れてしまっていた。なにしろ他のクラスの生徒や先生が面白がって何度もやってくるので、一日中大合唱の声がとぎれない。ウエイトレス、ウエイターを勤める生徒たちは、交代制とはいうものの、全くとぎれる気配のない客にへとへとだった。

「あー疲れた。雅子、どこかでジュースでも飲もうよ」

やっと交代の時間が訪れ、沙世子と雅子は熱気でムンムンしている『うたごえ喫茶　みぞぐち』を出た。

天気が良かったことも手伝って、学園祭の入場者数も好調のようだった。人でごったがえしているように見えても、展示物のある教室はすいている。二人はアイスクリームを食べながら、美術部や書道部の展示をぶらぶらと眺めていた。

「おーい、ここだここだ」

「あら、秋くん」

写真部の受付に座っていた秋が手を振った。

「どれか気に入ったのがあったら持ってっていいよ」

パネルの一部に、秋が精力的に撮りまくった学園祭のスナップがびっしり一面に貼《は》ってある。

「わあい、どれどれ」

二人はパネルに張りつくようにスナップを見回した。十組の生徒たちのスナップもたくさんあった。先生と肩を組んで歌う溝口、接客にてんてこまいの少女たち。

「やだー、こんなとこ撮らないでよ」

雅子が文句を言った。

沙世子が黙って一枚のスナップを剝《は》がすと雅子に渡した。子供に泣かれておろおろする由紀夫が写っている。雅子はぷっと吹き出した。

「やだ、かわいい」

「ふん、いいわよね両想《おも》いの人たちは。私はしっかり見てしまいましたよ、あの竜巻でみんなが大騒ぎしてる時に二人でしっかり手なんか握りあっちゃってさ。あたしも秋くんの隣に座ってりゃよかったわ。ねえ秋くん？」

「そうそう。俺もはっきり言ってあの席順はあとですごーく後悔したよ」

秋もあいづちを打つ。

でも――、と雅子はニコニコしながら回想する。

あの時、沙世子はいなかった。みんなが椅子から立ち上がって後ろを振り返ったとき、あのどーんという地響きがしたとき――あの時、既にあたしの隣に沙世子はいなかった。

しかし、雅子はなぜかそのことをあえて沙世子に尋ねてみようとは思わなかった。


「さあ、従業員の皆さん、いよいよ最終日の午後です、最後のおつとめです。しめていきましょう！」

少々ガラガラ声の店長、溝口が叫んだ。

生徒たちはほとんどヤケクソでおうっ、と叫んだ。

「――とはいうものの、俺、持ちこたえられるかなあ」

溝口はのどを押さえ、のどあめをこっそり口に入れた。

「溝口先輩！」

そこへ柔道部の後輩が二人、段ボール箱を抱えてやってきた。

「OBからの差し入れです」

二人は段ボール箱の蓋《ふた》をあけてみせ、中を覗《のぞ》き込んだ三人は顔を見合わせた。

学園祭最終日も、日が傾きかかり、後片付けの時間が迫っていた。残ったサンドイッチやジュースをさばこうと、値下げして売り歩く生徒の声があちこちで響く。

五時から始まる、中庭でのフォークダンスと軽音楽部の演奏が、学園祭の最後のイベントになる。

学外からの客がどんどん帰ってゆき、それと入れ替わりに、ベニヤ板を折ったり、空のジュースの瓶をゴミ箱に投げ込んだりする、後片付けの音が響き始めた。

秋は写真部の片付けを後輩に任せ、クラスの方に戻ってきた。もう四時半近くになるし、片付けが進んでいるだろうと思いきや、相変わらずアコーディオンの音と、ヤケッパチの歌声が響き渡っているではないか。

中に入ろうとすると、どうも異様な雰囲気である。

「お、秋！」

「おかえり秋！」

やけに機嫌の良い男子生徒たちが飛び付いてきた。面食らう秋に、由紀夫が馬鹿《ばか》でかい声で叫ぶ。

「おい、秋にも紅茶入れてやれよ！」

「はーい」

たちまち紅茶のカップが出てきた。

「よしっ、秋、これを飲め！　疲れが取れてうまいぞ！」

秋は言われるままに、くい、と紅茶を飲んだ。が、次の瞬間、プハーッと霧のように紅茶を噴いた。

「ばかっ」「秋っ」「きったねー」「もったいないっ」

罵声《ばせい》が飛び、周りの生徒が飛びのいた。

「なんだよこれ」

秋は口もとを拭《ぬぐ》いながら叫んだ。

「ブランデーが入ってるじゃんか」

しかもハンパな量ではない。カップの三分の一近くがブランデーと思われる。ふとクラスを見回すと、男子のみならず女子までもが真っ赤な顔をして歌っている。その中心にいる溝口も、既にへべれけになっていた。

後片付けを終えた生徒たちが、夕暮れの中をぞろぞろと中庭に出ていく。

いつ耳にしても、なんともセンチメンタルな気分にさせる『マイム・マイム』のメロディーが宴《うたげ》のあとの校内に流れてくる。

秋は、かねてからの計画どおり、三人のポートレートを撮るべく、みんなとは逆方向に歩き出した。撮る場所は前から決めてあった。校門のところの、あの巨大な桜の木の下である。

「おい由紀夫、俺がせっかく見合い写真を撮ってやるんだから、そのタコみたいな顔なんとかしろよ。顔洗って、そのへん一周して、酒抜いてきてくれ」

「へいへい」

まだ少々顔にブランデーの赤みが残っている由紀夫は、ぺちぺち自分のほっぺたを叩《たた》きながらのんびり駆け出していった。

「どういう風の吹き回しよ、いきなり写真を撮ってやるだなんて。どうしたの、主義を変えたの？」

悪戯《いたずら》っぽい目で沙世子がきいた。

「そう、変えたの。——ところで、折り入ってお二人にお話が」

秋はコホンと咳払《せきばら》いをした。

「僕はここでお二人にお許しを請わなければなりません」

神妙な顔で二人の顔を交互に見つめる秋に、沙世子と雅子はきょとんとする。

「なあに、お許しって」

雅子が尋ねた。秋はごそごそとポケットから紙を取り出した。

「——実はですね」

秋は真面目《まじめ》くさった声で、紙を見ながら話し始めた。

「えー、写真部といたしましても、僕個人としましても非常に厳しい財政の中、特に今年は例年以上にたくさんスナップを撮りましたんで、フィルム代の調達ということに僕らはたいへん頭を痛めたんです。そこで、いけないことだとは思いましたけれども、僕と由紀夫は、お二人に無断で、お二人の生写真を売りました。一枚二百円。いやー、売れた売れた。びっくりした。こんなに需要があるもんだとは思わなかったよ。畜生、もっとずっと早くからやってりゃな——いや、失敬。花宮雅子さんは三十一枚売れました。ネガは由紀夫にやろうと思ってますけど、いい？——そして、なんと！　驚くなかれ、津村沙世子さんは、三日間で百三十九枚も売れたのであります！　すごいでしょ。これがさ、驚いたんだけど、買ったのがほとんど女の子なんだよね。さすが津村。女にも強い！」

「えーっ、ひどいよ、なにそれ」

雅子は真っ赤になって叫んだ。

「——さすが津村、じゃないわよ」

じっと黙って秋の話を聞いていた沙世子は、腕組みをして低い声で秋を睨《にら》み付けた。

「なんで売る前にひとこと言ってくれないのよっ」

沙世子の剣幕に、秋は思わずあとずさった。

「だって、ひとこと断ったら許してくれないだろ」

「あたりまえよ、肖像権の侵害よっ。秋くんのお父さんに訴えてやるっ」

沙世子はカンカンだ。完全に頭に来ているらしい。今にも秋の首を絞めかねない勢いである。
「ごめんごめん、三万円以上の収益金が出たからさ、今度これでなんか奢《おご》るよ、だから
そんなに怒んないでくれよ。ねっねっ」
秋は慌《あわ》てて二人をなだめにかかった。そこに戻ってきた由紀夫も沙世子の激しい攻撃
にたちまち撃沈され、平謝りに謝った。さんざん罵倒され、頭を下げたあと、やっと秋
は三人の写真を撮り始めた。
フォークダンスの音楽が、物憂《ものう》げに遠くから流れてくる。曲は『藁《わら》の中の七面鳥』に
なっていた。
沙世子の撮影が最後になった。秋がいろいろ話しかけるのだが、彼女の機嫌が直る気
配はみじんもない。いつものニッコリ華やかな笑顔からは百万光年くらい遠ざかってし
まっている。
「俺が悪かったよ、儲《もう》けは全部津村にあげるからさ。頼むよ、笑ってくれよー」
秋は泣きたい気持ちで、必死に沙世子を笑わせようとした。
だがしかし、秋の努力もむなしく、結局その日の沙世子のポートレートは、思いっき
りふてくされた、ふくれっつらの少女として残されることになったのである。

冬の章

なぜか、この高校には暖房器具というものがない。

十一月に入り、朝の冷え込みが厳しくなるに従って、コート姿で授業を受ける生徒がぽつぽつと現れた。入学当初は、そんな馬鹿《ばか》な、ストーブがなけりゃ寒くて冬が越せないじゃないか、と、皆憤《いきどお》るのだが、人間、なければないで過ごせてしまうのだから不思議なものである。

三年生は、高校生としての付属的な要素をすべて剝奪《はくだつ》された今、もはや立派な『受験生』以外の何者でもない。さぞかし家族たちも気を遣っているだろうと思われるのだが、本人たちにしてみれば、受験だ受験だと大騒ぎをしているうちに、その実感をつかみきれぬまま冬になってしまったというのが正直なところだった。いきなり増えた実力テストの間の日にちを数え、日曜日には模擬試験に出かけていく、ということを繰り返しているうちに、いつのまにかしっかり『受験生』という囲いの中に追い込まれていることに気付く。こんなはずではなかったのに、と走り続ける彼らは、息を思い切り吸い込んだまま吐き出せないような状態で毎日を消化していた。

「受験生っつーのは」

由紀夫は白い息を吐きながら言った。

「非現実的なもんだなあ」

「どうして？」

雅子が隣で由紀夫を見上げて尋ねる。

「三年生ってのは、暗くて、髪振り乱して、イライラして大変なもんだって俺ずっと思ってたんだけど、違うんだな。実際に運命の分かれ目に直面してる奴《やつ》って、明るいよ。受験って大変だけど人生初の大行事だから、一種のお祭りみたいなもんで結構浮かれてるよな。俺、三年生が一番明るかったし、一番楽しかったし、一番面白かったもん」

「そうねえ、あたしも何がっていうんじゃないけど、今年は楽しかったなあ。でも、どうしてそれが非現実的なの？」

「えーと、うまく言えないけど、こうして毎日学校来てさ、家帰ってさ、勉強するわけじゃない。でも、勉強っていうのがそもそも非現実的じゃない？　物理とかさ、化学とかさ。自転車乗ったり、便所掃除したりするのに、あの物理の法則で走ってるぞ、とか、この洗剤混ぜると化学式でいうところのなんとかが発生して危ないワ、とか考えないじゃん。そういう、空想というか——空想っていう言葉はまずいか。でもホントは嘘《うそ》かもしれないもんな。そういう、理論っていうんですか、目に見えないものを毎日机に向かって勉強して、その目に見えないものができるかできないかで大学に入れるかどうか決めるわけだろ。うーん、非現実的だよな。でもこれが現実なんだよね。みんな、今勉強してる内容が全然役に立たないこと分かってる。大学受かったら、いや入試が終わったら一晩で全部忘れちまうこと分かってて、それでも親も先生も頑張れっていうんだよな。そりゃあ、受かったら嬉《うれ》しいだろうし、親も先生も喜ぶ。でも、それって何が嬉しいんだろ？　行くところが決まったから？　いいところに就職できるから？　四年間遊べるから？　じゃあ、落ちたら何がつらいんだ？　よく考えると別につらいことでもないんだよな。ただみんなが寄ってたかってつらいぞみじめだぞとおどかすから、ものすごくおっかないことのように思えるだけでさ。これって不思議だよなあ」

「由紀夫くんてヘンなこと考えてるのねー」

由紀夫にしてみれば、けっこう一生懸命考えていたことなのだが、雅子が一言で片付けてしまったのでがっかりした。

学園祭が終わってから、二人はほとんど公認の仲になった。どちらかが言い出したわけではないのだけれども、二人は二人でいることに抵抗がなくなったのである。それが本人たちにも、周囲が見ても、当たり前のことになり、こうしていつも二人で帰るようになったのだった。

これだって不思議だよな。由紀夫は雅子の横顔を見ながら思った。こんなふうになれるなんて思ってもみなかった。長い間好きだった女の子と並んで歩いて、毎日言葉を交わせるなんて、とても大それたことのように思えた。なのに、今ではこれが当然のことのように肩を並べて道を歩いている。どうして、今俺たちはここに一緒にいるんだろう（ずっとこうして一緒にいられるんだろうか？）。

由紀夫はふと、よく晴れた空を見上げた。

それでも、秋《しゅう》はまだ学園内に『サヨコ』の気配を探していた。学園祭が終わって、確かに何かが『終わった』という感触をつかんだ。その時は解放されたような安心感を味わったものの、それでもなお、彼はいまだにキョロキョロと自分が何かを探していることに気付くのだった。

でも、本当にサヨコはいなくなってしまった。もう、校内のどこにも、いない。

秋は、めっきり日の短くなってきたある日の放課後、気温が下がり始めたために曇りだした窓ガラスを見つめながら、『ビアンカ』のカウンターでぼんやりコーヒーを飲みつつ、とりとめのない虚脱感に浸っていた。

学園祭を境に、ふっつりと『みんなで何かを待っているような感じ』は消え去っていた。それと同時に、津村沙世子も、どこにも謎のないただの美少女になってしまったかのようだった。

もう、彼女は『お客さん』でなくなってしまったからに違いない。俺たちは、もはや彼女をそんな目で見ることもないのだろう。

秋はなんとなく淋《さび》しいような気がした。

ドアの開く音がした。隣に人の座る気配がする。

「ここ、いい?」

座ったのは設楽《しだら》正浩《まさひろ》だった。

「おう、久しぶりじゃん。いいよ」

学園祭の芝居『六番目の小夜子』は中断してしまったものの、あの怖さと演出は今でも語り草になっており、そのせいか設楽もなんとなく英雄視されているようだ。

「アメリカンください。どう、調子は?」

「ぼちぼちだなあ。なんかこう、じわじわ首絞められてるみたいでいやだよな。とっとと入試終わらせたいよ」

「おっと、関根秋の口からそんな台詞《せりふ》を聞こうとは驚きだ。うん、確かにそういう感じなんだけど、そのくせ一週間が過ぎるの早くない? 俺、学園祭が終わってから一気に時間が早送りになったような気がするよ」

設楽のコーヒーが来るまで、二人はボソボソと他人の志望校の話――誰がどこを受けるとか誰が国立を捨てたとかいう話をだらだらと続けた。

「――なあ、前から一度きこうと思ってたんだけどさ」

ちょっとの間をおいて秋は設楽に話しかけた。話しかけてみて、秋は設楽もそれを待っていたのだな、という気がした。

「あの『六番目の小夜子』だけどさ。中断したとき、まだ全体の三分の一もいってなかっただろ。あのあと、あの話はいったいどうなるんだ？　おまえよくあんな芝居やる気になったなあ」

「みんなにもさんざんきかれたよ。ほんとにあれはぶっつけ本番だったからさ。スタッフだけでいろいろ試しにやってみたんだけど、正直なハナシ、あんなに怖い芝居になると思わなかったんだ。やっぱり本番って、何が起こるか分からないし、集団心理って怖いよなあ。あの話を台本で読むと、全然怖くないんだ。あのあとは、結局『私』が六番目のサヨコとして、この学校で学園生活を送っているみんなに、なんというかクサイこと言っちゃうと、青春の素晴らしさ、今この人生の仮の場所である学校というところで一緒に時間を共有して一緒に巣立っていける素晴らしさ、ということを切々と訴えていくのがあの話のメインで、ほんとはさわやかに感動して終わるはずだったんだよ。ところが、上演したとき生徒たちはそうは解釈しなかったんだ。読んでいく一人一人が、これは恐ろしい話なのだ、と思いながら読んだんだよ、多分」

「でもおまえなあ、あんな真っ暗なとこでペンライトだけであんな台詞読まされてみろよ。ありゃどう考えてもオカルトものだよ」

「うん、それに、やっぱり誰もキャストがいなかったせいだろうね。もし、あれをほんとに一人芝居でやってたら、きっとちっとも怖くなかったし、あんな異常な緊張感は生まれなかっただろうな」

「そうだな」

秋は頷《うなず》きながら、あの異様な雰囲気を思い出した。

そう、みんなは自分たちの中にサヨコを見いだして恐怖を覚えたのだ。あの説明のつかない、闇《やみ》の中で鏡を見たときのような、澱《おり》の底から浮かび上がってくるような恐怖を。

「秋」

設楽が乾いた声でポツンと呼び掛けた。

「ん？」

秋はなにげなく設楽の顔を見た。

「俺ね、最近面白い事実を発見したんだ」

「何」

「聞いてくれるか？」

設楽は不意に秋の目をのぞきこんだ。その目にギクリとしながらも、秋はひきこまれるように無言で頷いた。

「ここ十年ばかりのサヨコは全部黒川のクラスから出ているんだぜ」

「え」

秋は思ってもみなかった内容に驚いた。

設楽は目を見開き、秋の方に身体《からだ》を寄せた。

「俺は調べたんだ。『サヨコの年』のサヨコがどのクラスに属していたか。『渡すだけの年』のサヨコも調べられる限り調べた」

「まさか」

「七人まで判《わか》ったけど、全員黒川のクラスなんだぜ。これって偶然だと思うか？」

秋は愕然《がくぜん》とした。

確かに、秋の兄も――姉も――兄と秋は九歳離れている――担任は黒川だったのだ。

そんな馬鹿な――だからと言って――

秋は、黒川の飄々《ひょうひょう》とした風貌《ふうぼう》や、べっこう色のフレームの眼鏡を初めて思い出すもののように思い浮かべた。

「――どうしてそんなこと調べる気になったんだ」

秋は前を見たまま、かすれた声で呟《つぶや》くように言った。

「先週のことだよ。ちょっと用事があって、職員室に行ったんだ。うちの担任の隣が黒川の席でさ。二人の机のあいだに立って、うちの担任を待ってたんだ。——黒川の机の上にワープロがあって、打ちかけの文書がはさまってた。俺、それをボーッと眺めてたんだけどさ、それを見ているうちに妙な気分になったんだ。俺はどこかで、この字体を見たことがある」

「まさか」

秋の口ぶりが弱くなるのに反比例するかのように、設楽の口調は強くなる。

「『六番目の小夜子』の台本はワープロで打たれていた」

「同じ機種なんじゃないのか」

「『六番目の小夜子』を打ったワープロには、プリンタに癖があったらしい。一行目を打つ時に、文字の上に必ず細い線を四センチぐらい引いてしまうんだ。——黒川のワープロの打ちかけの文書にもそれがあった」

秋はまじまじと設楽の顔を見つめ、ぼうぜんとした。設楽の真剣な表情が、今までの話に嘘のないことを物語っている。

「なぜ」

「わからない」

二人は目をそらし、冷たくなったコーヒーをそろってグビリと飲んだ。

「——それで」

「それだけさ。別にどうこうしようというわけじゃないんだ。ただ、一つの可能性を思い付いてしまったんで、ついつい調べちまったのさ。——実を言うと、俺はおまえにこのことを話す機会をずっとうかがってたんだ。一人であったためてるには、あまりにも怖いアイデアなんでね」

「聞かなきゃよかった」

秋は頭を抱えた。設楽はアハハと軽く笑った。

——聞くんじゃなかった！

秋は本当に心からそう思った。

なんだろう、このふつふつと沸いてくる、やりきれなさ、腹立たしさ、不愉快さは。

——強力な誰かの意志を感じるんだよね。

頭の中に由紀夫の声が蘇《よみがえ》った。

黒川の意志だったというのか？　伝統校の古株、十年以上もいる名物教師。その教師に、何年も、何も知らない、変なジンクスに一喜一憂する生徒たちが踊らされてきたと——俺たちは嬉々《きき》としてその伝説を語り、伝説を広め、その舞台をお膳立《ぜんだ》てしてきたのだと？

冗談じゃない。そんな結末だったのなら、まだ桜の木の精だったんです、とでも言ってもらった方がよっぽど良かったよ。

次々と怒りがこみあげてきて、秋はそれを抑えるのに苦労した。

「なぜだ?」

秋はボソリと呟いた。

「俺は別に解決を求めてるわけじゃないんだ」

設楽は肩をすくめた。

「少なくとも」

秋は不機嫌に設楽の顔を見た。

「今年は大凶なんじゃねえか。もし第三のサヨコがあの『六番目の小夜子』を書いたんだとすれば」

二人はじいっとお互いの顔を見ながら別々のことを考えていた。


ある土曜日の午後。

そそくさと帰る同級生たちをよそに、雅子と沙世子は教室に残り、二人で窓際《まどぎわ》の暖かい陽射《ひざ》しのさし込む席に陣取って、菓子パンを食べつつ編み物をしていた。雅子は由紀夫へのクリスマス・プレゼントにしようというセーター、沙世子はあげるあてのない(?・)マフラー。

のんびり編み物など、随分余裕のある受験生のように見えるが、二人がテキストを見ながらブツブツ交互に呟いているのは「世界史一問一答」である。

「いまだに世界史と日本史、どっちが得だったか考えるわ」

「あたしも」

「マークシートの唯一《ゆいいつ》の救いは、漢字が書けなくても黒川みたく減点されないってことだけね」

「ほんと。中国とかやんなっちゃうよね。だけど、カタカナっていうのも覚えにくいよねえ。ギリシア・ローマ時代なんて、覚えるたんびに新鮮だもん」

二人は八つ当たりするかのようにクリームパンにかぶりついた。

沙世子はパンをくわえたまま、雅子の編んでいるセーターを引っ張った。

「どれどれ。ふーん、雅子って器用。すごい、ちゃんと模様になってきてるじゃない」

「えっへん」

雅子は編みかけの前身ごろをかざしてみせた。

「いいなあ、なんて幸せな奴《やつ》なんだ、唐沢由紀夫って奴は」

沙世子はふわあああ、と伸びをして編みかけのマフラーをポイ、と机の上に放り出した。ブルーグレイのモヘアのマフラー。なかなか渋い色合いだ。

雅子もセーターを置いて、こわばった肩をぐるぐる回した。

教室全体に、大きな窓ガラスを通して溢《あふ》れんばかりの光が注がれている。

「冬の晴れた日って好きよ」

沙世子が呟いた。

「どうして？」

チューとストローの音をたてて牛乳を飲みながら、雅子が訊《き》いた。

「なんかさ、まだ神様もあたしたちを見捨ててないんだなーって感じがするじゃない？」

「沙世子らしいわ」

雅子は机の上に両腕を投げ出し、上半身を突っ伏して話しかけた。

「ねえ、沙世子は神戸でつきあってた人いなかったの？」

「あたし？　いなかったわ」

「――好きな人は？」

「うーん――いたかな」

「ねえ、沙世子はどういうタイプの人が好きなの？」

雅子は沙世子の方に顔を向けた。沙世子は机の上でお祈りをするように組んだ指の上にあごを乗せ、穏やかな表情で前を見ている。窓からさし込む冬のまっすぐな光が、その沙世子のほおの産毛《うぶげ》や、髪の毛の輪郭を輝かせている。

このひとは本当にきれいだ。これからもっときれいになるだろうけど、今は今で最高にきれいだ。このきれいなひとをあたしなんかが独占してるなんて、なんだかバチが当たりそう。

雅子はぼんやりとそんなことを考えた。沙世子の美しさにすっかり慣れてしまっていたものの、ゆっくり二人だけで話をするのは久しぶりのためか、改めて感動を覚える。ヘンかしら、あたしだって女の子なのに。でも、女の子でなくちゃ、沙世子みたいに本当に完璧《かんぺき》な女の子がいるってことの、ほんとのすごさって分からないと思うな。男の子なんか、ただ女っていうことだけでいいんだもの。その女の子自身がどういう存在かなんて彼らには意味のないことなのよね。

「——唐沢くんみたいなタイプ」

雅子はビクッとした。

雅子は顔を上げて、沙世子の真剣な目を見た。

と、次の瞬間、沙世子はニッといつもの華やかな笑顔を見せた。

「——って言ったらどうする？」

「おどかさないでよ」

雅子はほうっと息を吐いた。

それでも、沙世子が一瞬見せた真剣なまなざしが胸に焼き付いた。

(どうしよう、もしホントだったら)

雅子は知らず知らずのうちに、過去の沙世子の行動から、彼女が由紀夫を慕うそぶりを見せていたかどうかを思い起こそうとしている自分に気付いた。

(もしホントだったら、あたしは沙世子をメチャメチャ傷つけてるってことだ)

「もう、沙世子が本気だったら、あたしなんか全然かなわないよ」

雅子が弱々しく呟く。

「やめてよ」

沙世子がきっ、と振り向いた。

「かなわないのはあたしに決まってるじゃないの。ねえ、雅子、あたしはそんな雅子が思っているようなたいした人間じゃないのよ。少々気が強くてハッタリがきくだけのことよ。あたしが雅子のことをどんなに羨《うらや》ましく思ってるか、雅子には分からないでしょうね。雅子には絶対分からないところが、あたしの一生雅子にかなわないところだわ」

いきなり沙世子が強い調子でまくしたてたので雅子はびっくりした。

「あーあ、あたしも彼氏欲しいな」

沙世子はくたっと机の上に倒れた。

「――秋くんは?」

おずおずと雅子がきいた。

「秋くん?」

沙世子は顔を上げ、机の上に行儀悪くコツン、とあごを乗せた。

なんて長い睫毛《まつげ》なのかしら。先がちょっと上を向いていて、揃《そろ》えたみたい。

ついつい、雅子は沙世子のことを美術品のごとく鑑賞してしまう。

「あんなに仲良くしてるじゃないの。秋くんだって、いつもポーカーフェイスで大人びてて、近寄りがたい人だけど、沙世子にはほんとに打ち解けた楽しそうな顔するよ。女の子たち、みんな彼に憧《あこが》れてるけど、とても沙世子のようには話せない」

「そうねえ――彼は素敵だものねえ。なんでも当たり前みたいな顔して持ってる人よね」

「沙世子だってそうだよ」

「ううん、あたしは持ってるふりがうまいだけ。持ってるふりがあんまりうまいんで、本当に持ってるんじゃないかと自分でも錯覚しちゃうくらいよ。でも、彼らは違うのよね。男の子ってすごいわねえ。秋くんなんか、あまりにも輝かしい未来と可能性が彼を待ってるのが見えて、羨ましくって、妬《ねた》ましくって、ぶんなぐってやりたくなるわ。彼の未来を分けてほしくって、あたしは彼にまとわりついてるのかもしれない。――そうか、そんなに仲良く見えるのかあ。ということは、あたしのことを憎んでる女の子がいっぱいいるんだろうなあ」

「へえー意外だなあ、沙世子がそんなに男の子を羨ましく思うなんて」

「あたしはね、置いてきぼりが嫌なのよ。男の子なんて、すぐ自分たちだけで夢中になって、背中を向けて走っていっちゃうんだもの。秋くんなんか見てると、どんどん先を走っていかれて、置いてきぼりを食いそうな気がするの」

「それって、秋くんを好きだっていうのとは違うの？」

「うーん——そりゃあ嫌いじゃないわよ、もちろん。でもねえ——まだ、今はだめだわ」

「今は？」

「まだあたしと彼とは敵同士なのよ」

「敵？　どうして？　どうしてそんな言葉使うの？」

「まだ、ね」

沙世子は首をかすかに左右に振り続けた。


「つまりさ」

由紀夫が前に乗り出して言った。

「あいつら、どっちもプライドが高くて言い出せないってことなんじゃないのか？」

「そうお？　どうして沙世子ってああいうむつかしいこと言うのかしら。素直に好きって言えばいいのに」

『ビアンカ』で、由紀夫と雅子は紅茶を飲みながら参考書を広げていた。

「なに？　秋と津村ってもうデキてるんじゃなかったの？」

カウンターで容子と並んで座っていた高橋が振り返って言った。

「少なくとも『告白』はまだみたいだぜ」

「へえー。ところで、ユキオくんはマサコさんになんて告白したの？」

バサッ、とすさまじい勢いで高橋の顔に由紀夫の投げた参考書が飛んできた。

「ひえー、冗談冗談」

高橋は苦笑した。

「んーでも沙世子って性格けっこう男性的だし、あれだけ対等にわたりあってると、お互いあんまり改めておつきあいってカンジにならないんじゃないの？　秋くんとか、古風にあとから楚々《そそ》とついてくる女の子がいいな、なーんて言いそうじゃない」

容子がブツブツ英単語を呟《つぶや》きつつ、それでもしっかり話の内容を聞いていたらしく会話に参加してきた。

（唐沢くんみたいなタイプ）

ふと雅子は目の前の由紀夫を見ながら沙世子の言葉を思い出した。

そうね、沙世子みたいに強くて大きい人は、こういう子供っぽくてどこか抜けたところのある、面倒をみたくなるような男の子の方がいいのかもしれないな。

不意に彼女は目の前の由紀夫に強いいとおしさを覚えた。

「へっへー、でもあたし聞いちゃった」

急に容子が悪戯《いたずら》っぽく顔を上げた。

「何を？」

「三組の佐野美香子《さのみかこ》が関根秋に当たって砕ける覚悟をしたって話」

「えーっ」

三人は大声を上げた。

佐野美香子はほっそりとして大人しい、まさに古典的な楚々とした、いかにも男性の庇護《ひご》欲をそそるような美人で、入学当時から男子生徒に絶大な人気を誇っていたが、いささか大人しすぎるうえにやや潔癖症のきらいがあり、言い寄る男を片っ端から拒絶していた。

「しかもすごいの、まず津村沙世子にあたって、関根秋と特別な仲かどうかを追及してから関根秋を攻める気なんだって」

「げえ、あの佐野美香子が」

「俺、急に秋が憎らしくなってきた」

「大人しい人って思い詰めると強いのねえ」

みんなてんでばらばらの反応である。

「ということは、まだこれから？」

高橋がきいた。

「うん。噂《うわさ》によると、二学期の終業式に呼び出すらしいわよ」

「ひょう。クリスマス・イブに。やるう」

「というよりも、当たって砕けてもそのまま冬休みに突入してしばらく顔見ずに済むからじゃないの。年明けてすぐに共通一次だし」

「わあー、秋くんどうするのかしら」

いきなり、四人は激しく盛り上がった。このところ娯楽に飢えているのである。

「まず津村がどう答えるかが問題だよな」

「美女二人の対決。見たいなあ」

「佐野さんには悪いけど、あたしやっぱり秋くんには沙世子にしてもらいたいなあ。せっかく完璧なカップルなのに」

「あたしも。なんのかんの言っても、やっぱ沙世子は秋くんが好きだと思うのよね。こはなんとか佐野美香子をダシにして二人に盛り上がってほしい！」

「ヒマだな、俺たちも。こんなことしてるヒマないような気がするんだけどな」

勝手なことを言いつつ、四人はヒソヒソと相談を始めた。

受験勉強は、しばしば当事者を運命論者にさせる。

今、必死に勉強をしているこの時期、もう来年の自分の運命は決まっているのだろうか。決まっているに違いない、と苦しまぎれに思う。もう決まっているのならば、あがいても焦《あせ》っても仕方がないのではないか？　できることなら、その運命の日までの時間を日めくりのごとくむしりとって覗《のぞ》き込んでしまいたいと思う。しかし、相変わらず学校は毎日朝八時三十分に始まるし、一時間目から六時間目まで順番に授業は行われるし、試験問題は一問ずつ考えて、一問ずつ答を書かねば埋まらないのである。

しかも、これは完全に一人っきりの戦いであるということを、彼らはようやく理解するのだった。他人は蹴落《けお》とさなければならないし、頭がいいと言われてきた自分のちっぽけな自尊心を守らなければならない。今まで失敗することの少なかった彼らも、今度は失敗するかもしれないのだ、ということをひしひしと感じるようになる。

このような状況に至っても、関根秋や設楽正浩が、一連のサヨコの件に関して興味を失わないのは驚くべきことのようにも思えるのだが、むしろ、あした朝早く起きなければならないのにずるずる夜更《よふ》かしをしてしまうとか、試験の前ほど推理小説が面白くてやめられない、といった状況に似ているのかもしれない。

そんなわけで、十一月の半ばを過ぎたある日の放課後、下校時に偶然一緒になった二人は、再びつるんで、いつも『ビアンカ』では芸がないなと、駅の裏手にある喫茶店に入った。席が木の壁で仕切られているので、思わず長居をしてしまいそうだ。

「その後、何か黒川について新事実はわかったかい?」

秋がきいた。

「バカ言うなよ、担任でもないのに俺にわかるか。だから言ったろ、俺には別にどうこうしようって気はないって」

二人は黒川がサヨコに関してどの程度関与しているのか考え込んだ。関与しているのなら、そもそも学校の吉凶云々《うんぬん》というジンクスそのものが全く意味をなさぬことになってしまう。

「なあ、秋、こないだおまえさ、『第三のサヨコがあの台本を書いたんだとすれば』って言ったろ。あれ、どういう意味だ? 第一と第二のサヨコって誰のことだ?」

「俺、そんなこと言ったっけ?」

「とぼけるなよ。そもそも今年のサヨコは誰だったんだ? わかってるんだろ? おまえのクラスだし。おまえか?」

「俺じゃない」

「じゃあ、誰だ」

秋は、ぐっと詰まった。ここで加藤だったということを話すと、加藤だと分かるまでの経緯を話さなければならない。その経緯を話すということは、津村沙世子との関わりを話すということだった。加藤が沙世子から鍵《かぎ》を盗もうとして、クラス中のカバンをひっくり返したこと、彼がいなくなってからも誰かが花を飾ったこと。

秋は迷った。設楽にならばすべて話してもいいな、と彼は思う。しかし、あのわけのわからない話を理解してもらえるのだろうか。

無意識のうちに窓の外に視線を向ける。二階にあるこの店からは、小高い丘に建っている自分たちの学校がよく見える。今しも、校舎は大急ぎで沈んでゆこうとする冬の太陽を浴びて、中世の城のようにぼうっと窓の外の彼方《かなた》に浮かび上がっていた。

あの碑を設楽に見せよう。

不意に秋の頭にその考えが浮かんだ。

あの碑のあの名前を設楽に見せるのだ。それから、一連の春からの出来事を彼に説明するのだ。

秋は立ち上がった。

「なんだよ、教えてくれないのか」

設楽が不満そうに秋を見上げた。

「いや、説明するよ。学校に戻るんだ。見せたいものがある。おまえ、あの校庭の黒い碑に刻んである名前を見たことあるか？」

「ないよ。名前？　そんなものがあったのか」

「見れば納得する」

秋の堅い表情を見て、設楽は黙ってついてきた。二人は無言で店を出ると、足早に学校への道を再び戻っていった。日の暮れてきた通学路を、家路を急ぐ生徒たちとどんどん擦れ違って学校へと歩いていくのは、時間を逆行するような、フィルムを逆回しにしているような奇妙な感覚があった。

二人はそそくさと、隠れるように校内に入っていった。
一、二年生だけになった運動部の声が、やけに貧弱に校内に響く。
校庭へと降りてゆく石段の前に来た。

思えば、あの春の終りのとき以来、初めて見に行くのだ。秋は、あのときの生暖かい雨の匂《にお》いが蘇《よみがえ》ってくるような気がした。あれから六か月近く経《た》っている。学園祭も終わった。すべてが終わったと思っていたのに――

「あら、お二人さん、こんな時間にデート？　校庭なんかに何しにゆくの？」

二人はビクッとして足を止めた。

秋は振り返る前に、それが誰の声か分かっていた。

この日がやってきた。思いもよらぬ形で。

絶望と感動の入り交じった感情が、身体《からだ》の中に込み上げてくる。

こいつと正面から対決するのを恐れ、こいつと対決せずに済んだことに安堵《あんど》し、こいつと対決せずに済んだことに安堵した自分に物足りなさを感じていたのに――まさか本当にこの瞬間がやってくるなんて。

秋はゆっくりと振り返った。

そこには、一人の少女が立っていた。

身体の前に両手で学生カバンを提げ、まっすぐに立ってこちらを見ている津村沙世子が。

秋はまじまじと沙世子の顔を見た。かすかに微笑《ほほえ》んでいるような、全《すべ》てを知り尽くしているようなまなざし。ふだん教室で言葉を交わしている快活な少女とは全く別人のようだ。昼間彼女が全身から発しているエネルギーとは違う、負のエネルギー。

それにしても、こいつ、なんて威圧感があるんだろう。こちらの恐れを見透かされているような――対峙《たいじ》する者の弱い部分にきりきりと食い込んでくるような靭《つよ》さ――加藤やあの男子高の生徒たちは、喘息《ぜんそく》でも犬でもない、この靭さに打ち負かされてしまったのだ。

オレって、ひょっとしたらとんでもないバケモノと向き合ってるんじゃないだろうか？

「おやおや、これは沙世子姫じゃないですか。お勉強のお帰り？」

何も知らない設楽が、おどけた調子で沙世子の注意を二人の目的からそらそうとする。

「大丈夫、姫の関根秋はちゃんと僕が責任を持って送り帰しますから」

設楽はそう言って沙世子に手を振り、『行こうぜ』と秋に目で合図した。

沙世子は秋に視線を向けたままだった。

「あら、追い払おうとするわけね。さあ、この二人があたしを追い払ってまでこっそり夕方の校庭に行こうとするのはいったいなぜかしら？——面白そうだわ、とっても。ねえ、秋くん、あたしもついていっていいかしら？」

設楽が困ったような顔をして秋を見た。

秋も、沙世子と視線を合わせたままだった。

沙世子の目はとても落ち着いていたが、なんとも言えぬ不思議な光があった。

秋は津村沙世子という少女と初めて目を合わせたような気がした。いや、初めて他人と見つめあったような気がした。こいつは、全部知っているのだ。俺たちが何をしにゆくのか、何を見にいくのか。

秋は決心した。よし、そういうことなら一緒に見てもらおうじゃないか。自分の名前の刻み込まれた石を見て、なんと説明するのか、どんな表情をするのか見せてもらおうじゃないか。

「——いいよ。津村も来いよ。面白いもん見せてやるよ」

ためらう設楽を従えるような形で、スッと秋と沙世子が同時に石段を降り始めた。三人は黙々と石段を降りてゆく。

設楽正浩はカンのいい男だ。さっきの凍り付いたような秋の顔。一緒についてくることを強く主張した沙世子。その表情を思い浮かべながら、二人の背中を眺めて降りていくうちに、まさか、という疑惑がどんどんふくらんでくるのを抑えきれなくなってきた。まさか、この津村沙世子が今年のサヨコに関係しているというのか？　この学校のことなどろくに知らぬはずの転校生の、この娘が？

冬枯れの灰色の草をガサガサと踏み、三人は倒れた桜の木の方へ向かった。倒れた幹はとうに撤去されていたが、黒く残った株が草むらから覗いていた。

秋は心臓の音が早まるのに合わせるかのように歩調を速め、黒い碑のあるところへ向かった。

しかし、見覚えのある位置を探してみても、どうも碑が見当たらない。

「ヘンだな」

秋は草をかきわけて、荒れた草むらに踏み込んだ。

「秋」

設楽が秋の腕をつかみ、足元を指さした。

そこには、黒い石のかけらが散らばり、碑の根元だけが土にめりこんでひっそりとその痕跡《こんせき》を残していた。

秋は呻《うめ》き声を上げてその場にかがみこんだ。粉々の石が、あたりに散乱している。

「竜巻でやられたのかな」

設楽が訝《いぶか》しげに呟《つぶや》いた。

「まさか。倒れるならともかく。違う、これは誰かが上から重いもので叩《たた》き割ったんだ。でなきゃこんなにバラバラになるはずがない」

秋が吐き出すように言った。

秋と設楽は、思い出したように後ろに立っている沙世子を見た。

沙世子は草むらのそばにしゃがんで、飛び散った黒い石のかけらをつまみあげ、指で弄《もてあそ》んでいた。

「あたし、誰かに聞いたわ。その碑を建てるもとになった女の子の話」

沙世子は石を掌《てのひら》で転がしながら呟いた。

秋と設楽は顔を見合わせる。

「無念だったでしょうね」

沙世子はしゃがんだまま、美しい眉《まゆ》をひそめてじっと石のかけらを見つめている。

「想像できる？　あたしがたった今、この歳《とし》で、いきなりブツッと人生を断ち切られちゃったらどうだろう？　いきなりどおんと幕が降りて、何もかも終わってしまったとしたら？　悔しいでしょうね。信じられないでしょうね。きっと、彼女も自分の人生が終わっちゃったってことが理解できなかったんじゃないかしら」

「津村だったら思いっきり化けて出そうだなあ」

秋は立ち上がりながらシニカルにクスリと笑った。

「うん。出る。きっと出てやるわ」

沙世子は他のかけらを探して、掌に集めていった。

「恨むというより怒っちゃうな。許せないってカンジね」

「何が許せないの？」

設楽が尋ねた。

「まず、自分の人生を断ち切った者に対して怒る。どうして？　なぜあたしが、今ここで？　そこでまずさんざん怒るでしょ。そのあとは、そう、次はこの学校に対して怒るわね。ここに来たばっかりに、そんなつまらない行事に関わったばっかりにこんなことになったんじゃないかって。そしてそのあとは、自分と同い歳の、この先も長い人生のあるみんなに対して怒る。わたしはもう終わっちゃったのよ！　なのにどうしてあなたたちはまだ先があるの？　わたしはもう死んじゃったっていうのに、なぜそんな平気な顔、当たり前の顔して生きていくの、ってね」

沙世子は立ち上がって、いきなり集めたかけらを上に放り投げた。

バラバラとかけらが足元に散らばる。

三人は無言で立ち尽くしていた。

「——もうやめましょうよ、こんなくだらないこと」

沙世子が低い声で呟いた。

「学園祭も終わったし、楽しい高校生活もあとほんの少し。いったい何が不満なの？　成績もいいし、友達もいっぱい、もうすぐ明るい大学生じゃない。なぜこんなところでコソコソ石を掘り返してるわけ？　他にもっとやるべきことがいくらでもあるじゃないの」

これはなんだろう？　警告か？　脅しか？

秋は何十歳も年上の女に悪戯《いたずら》を叱《しか》られている幼児のような気分になった。

「——寒いわね、ここ。あたし、もう帰るわ。ごめんなさいね、二人のデートの邪魔しちゃって。じゃ、一足お先に。どうぞごゆっくり」

沙世子は学生カバンを持ち上げ、ちょっと身震いしてみせてから、くるりと踵《きびす》を返してすたすたと歩いていった。

「——なんなんだ、あいつは」

設楽がゆっくりと口を開いた。

「実は俺も春からずっと考えてるのさ」

秋は、ズボンのポケットに手を突っ込み、ぶらぶらと歩き始めた。

沙世子が軽やかに石段を登っていくのが遠くに見えた。

「秋、あの石にいったい何が彫ってあったんだ?」

設楽も並んで歩き始める。

秋は、無言で食いいるように遠い少女の背中を見つめた。


例えば、津村沙世子と二番目のサヨコに血の繋《つな》がりがあるという可能性もあるのではないか?

秋は突然、生物の授業を受けている最中に思い付いた。

二番目のサヨコはどこから引っ越してきたのだろうか? もし親戚《しんせき》で、同じ名字であったのならば、同じ名前を付ける確率はずっと高くなる。孫が祖父母の名前を貰《もら》うというのもよくある話だ。今まで、二人の名前の一致を、単なる偶然か、何かの符合かなどと神秘的に考えていたけれど、そういう可能性だってあるはずだ。

秋は昼休みに事務室近辺をうろうろし、兄の先輩の住所を調べるように頼まれたなどという理由をでっちあげて中に入り込むと、過去の卒業アルバムを閲覧する許可を得た。

一応、兄の代の上の年度のアルバムを引っ張り出してメモを取るふりをしつつ、秋はこっそり二番目のサヨコの代のアルバムを探した。当時の住所が分かれば、何かつかめるかもしれない。それに、なによりもまず顔が見たい。

秋はドキドキしてきた。血の繋がりがあるのであれば、顔が似ているのではないかと思ったからである。

はやる手でアルバムを探す。過去にもいろいろな人が引っ張り出したと見えて、迷惑なことに卒業年度の順番がメチャクチャだ。中には背表紙の文字が擦り切れて年度の読み取れないものもある。そうなると、箱に入っているため、いちいち出して中を開いてみなければならない。

それにしても、見つからない。その前後の年のアルバムはあったのに。

古い戸棚の、一番奥に押し込められていたアルバムを引っ張り出したとき、おやと思った。軽い。箱だけで中身が入っていないのだ。

（まさか）

秋は、手垢《てあか》で汚れて擦り切れた箱の背表紙をしげしげと見つめた。それは、まさしく彼が探し求めていた年度のアルバムだった。

（中身が抜き取られてる）

グラリ、と床が揺れたような気がした。秋はめまいを感じた。誰かが確実に俺の先回りをしている。俺の考えることを読み取っている。思わず彼は背筋に冷たいものを感じた。

待てよ、と彼は気を取り直した。

これを抜き取ったということは、見られては困るということだ。ということは、やはり何らかの関係があるのではないか？　二人の沙世子には血縁関係が？

しかし、とも彼は考えた。これがいつ抜き取られたのか、二番目のサヨコの情報が目的で抜き取ったとは特定できない。ほんとうに、単にこの代の誰かの住所か何かを調べるために、ずっと以前に全然関係のない人間が持っていったのかもしれないのだ。

秋は虚脱感を覚えた。結論はただ一つ、二番目のサヨコの顔を見ることができない、ということである。

あきらめてのろのろとアルバムを片付け始める。その重さが、ズッシリとやけに手にこたえた。

彼は気付かなかった。

事務室の細く開いた廊下の窓から、アルバムを片付ける彼を、黒川がじっと見つめていたことを。


十一月も末に近付き、生徒のほとんどがコート着用のまま授業を受けるようになった。

雅子は、混みあう玄関脇《わき》の売店でパンを買いこんで、寒い廊下を小走りに教室に戻ってきた。北側に面している廊下は、冬の二時間目の休み時間ともなると、ほとんど生徒が歩いていない。それほど冷え込むのだ。

「花宮さん」

雅子が十組の教室の戸を開けようとしたとき、女の子の声がした。十組の教室は、廊下の一番はじで階段と隣り合っている。その階段から一人の少女がおずおずと顔を出した。

「あ」

雅子はギクリとした。佐野美香子だ。

「お願い。津村さんを呼んでほしいの」

佐野美香子は、細くて可愛《かわい》らしい声ながらもきっぱりと頼んだ。

「う、うん」

雅子は慌《あわ》てて引き戸を開け、中に入って閉めた。冬のこの寒い時期、戸を開けてすぐ閉めない者は極悪人扱いされる。

どうしよう、どうしようと雅子は頭の中で慌てふためきながらも沙世子に駆け寄った。

「沙世子、お客さんよ、階段のとこ」

「お客さん？　誰だろ。彼？　彼女？」

「彼女よ」

「はいはい。彼の方がよかったのに」

沙世子は軽やかに駆け出していった。

出ていく沙世子を見送ってから、雅子は青くなって容子のところにとんでいった。

「どうしよ、容ちゃん、佐野さんが来ちゃったよ」

「えーこんなに早く？　困ったなァ、予定狂っちゃう」

「いないって言えばよかったかしら」

「そんなのすぐバレちゃうよ」

「あーあ」

「うーん、沙世子の反応を見て、またみんなで対策を考えましょ」

二人は早口で言葉を交わし、すばやく駆け出して廊下側の窓を開け、そろそろと廊下を覗《のぞ》き込んだ。沙世子の背中が見え、堅い表情の佐野美香子が見えた。

「聞こえる？」

「わかんない。あ、もう終わっちゃった」

二人は窓を閉め、慌てて席に戻った。

きょとんとした顔の沙世子が戻ってくる。

「なんだったの、沙世子」

容子が知らん顔で訊《き》く。

「あたしとつきあってほしいんですって」

「バカ」

「沙世子、彼女と知り合い？」

「ううん。初めてしゃべったわ。いやあ、可愛い子ねえ。好みのタイプだわあ。知らなかった」

「で、なんの用なの」

「よくわかんない。続きは放課後ですって」

雅子と容子は顔を見合わせた。まだ本題には入っていないらしい。

三時間目のベルが鳴り、生徒たちはバタバタと席についた。

（ホント、可愛い子）

沙世子は佐野美香子の表情を思い出していた。

用件が分からない、と言ったのは嘘《うそ》だった。彼女は、美香子の思い詰めた、紅潮した顔を見てすぐピンときた。

関根秋だな。

小さい色白の顔。額をむきだしにして、こめかみの後ろで大きなピンを留めた、サラリとした茶色の細い髪。薄い茶色の眉、笑っているような、細い、優しい目。ほっそりした首、肩、手足。

そのか細い身体《からだ》と愛らしい顔に、強い決心が漲《みなぎ》っていた。

「忙しいところすみません。三組の佐野ですけど、お話があるんです。今日の放課後、ちょっと時間を作ってくれませんか」

声も見た目どおり、細く女らしかった。

「ええ、いいわよ」

沙世子があっさり快活に答えたので、美香子は拍子抜けしたような表情になった。

「ありがとう。じゃあ、あたし、放課後、迎えに来ます」

「いいわよ、六時間目が終わったらすぐに出るわ、玄関のとこで待っててちょうだい」

「じゃ、玄関にいます」

美香子はホッとしたような顔で、軽く会釈《えしゃく》をして自分の教室に戻っていった。

ああいう、か弱そうで女の子らしいタイプが、一番強くて一番頑固なのよね。どんなことしてでも欲しいものを手に入れようっていうのはああいうタイプ。でも、バカよね、男の子って。ああいう女の子にすぐコロッと参っちゃって、「守ってあげたい」なんて言い出すんだから。秋くんもああいうのに弱い口かしらん。

沙世子はチラリと授業を受ける関根秋の姿を盗み見た。

でも、と沙世子は教科書を開きながらニヤリと笑った。

素敵。彼女は素敵だわ。なんてお誂《あつら》えむきなのかしら。

佐野美香子は、玄関で沙世子を待ちながら落ち着かなかった。自分がこれから言おうとしていることを聞いたら、彼女はなんて言うだろう？　気を悪くするかしら、それとも怒ってしまうかしら？　聞くところによると、彼女はとてもさっぱりした性格のようだ。あたしの思い過ごしなのかしら、バカにされたりしないかしら――

「お待たせ、行きましょ」

津村沙世子が駆け寄ってきた。その人見知りしないあけっぴろげな笑顔に、美香子は一瞬気後れがした。

「どこに行く？　ケーキでも食べようか。『アントワーヌ』はどう？」

「ええ、そうね。それがいいわ」

誘った方であるはずの美香子がとまどいつつ従う。

今日初めて話すというのに、なんてなつっこい人なんだろう。

美香子は驚きの目で元気に歩いて行く沙世子を見た。それも、その人なつこさは不快ではなかった。女の子によくあるタイプの、すりよってくるようなベタベタした人なつこさではなく、真正面からぽんと飛び込んでくる、思わずつりこまれてしまうような人なつこさ。人見知りの激しい美香子ですら、沙世子の放つ輝きにはひきこまれた。

沙世子は道すがら、さりげなく美香子に質問を浴びせた。そして、美香子に歳《とし》の離れた兄のいること、電車で隣の市から通っていること、文芸部にいたこと、一人で絵を見たり本を読んだりするのが好きなこと、人見知りするので、いまだに中学からの友人と、文芸部の二、三人の友人としかつきあっていないこと、など、彼女についての一通りの知識を、喫茶店に着くまでに仕入れてしまっていた。

「あたしも入れてよ、つきあってる友達の中に」

と、喫茶店のきれいに花を飾った窓際《まどぎわ》の席に落ち着いてから、沙世子はにっこり美香子に笑いかけた。

「ええっ、そんな」

美香子はどきまぎした。

みんなが大騒ぎしてて、遠目には確かにきれいな人だと思ってたけど、こうして面と向かってみると、ほんとになんてきれいな人なんだろう、津村さんて。媚《こ》びがないのにしっとりとして、知的で——美香子はすっかり圧倒されていた。

「イヤ？」

「まさか。でも、あたしがこれからする話を聞いたら、あたしと友達になりたいとは思わないかも」

美香子は口ごもりながら答えた。

「なあに、話って。そんなに深刻な話なの？　いいわよ、はっきり話して」

沙世子が勇気づけるように促した。

「あのね、――関根くんのことなの」

美香子は思い切って切り出した。

突然、沙世子は顔を曇らせた。晴れた空を暗雲が横切ったかのような、急な表情の変化に、美香子の胸が痛んだほどだ。見る間に、沙世子の黒目がちの大きな瞳《ひとみ》が涙でうるむ。

「あ、あの」

美香子は青くなった。慌ててハンカチを取り出して、沙世子に差し出す。

「ごめんね、いきなり。自分で話せって言っといて、情けない」

沙世子は目元を拭《ぬぐ》いながら小さく笑った。

「やあね、あたしったら、まだ立ち直ってないらしいわ。あなたも、なのね。あなた、関根くんが好きなんでしょう？」

沙世子は低い声で美香子に目をやった。

美香子は真剣な表情でコクン、と頷《うなず》く。

「あたし、てっきり、津村さんと関根くんが」

美香子はいたたまれなくなった。ひょっとして、彼のことを話題にしたことで彼女をひどく傷つけてしまったのだろうか？　美香子は既に、沙世子と向かい合って座った瞬間から、ついさっきまで彼女を憎らしい、妬《ねた》ましい、いなくなってしまえばいい、などと思っていたことをすっかり忘れてしまっていた。

「ううん、仲良くしてるように見えるかもしれないけど」

沙世子はゆっくり首を左右に振った。

「あたしね、とっくにふられてるのよ。夏の、夏期講習の終りの頃にね、みんなで海に行ったんだ。その時にね、思い切って打ち明けたんだけど、全然。とりつくしまもなかったわ。あたしって、このとおりガラッパチではっきりしてるでしょ。全然そういう対象として考えられないんですって。喋《しゃべ》ってる分には楽しいけどって。すっごくショックで、わんわん泣いたわ。あんまりショックで、彼の顔を見るのもつらくって、二学期の始業式も休んじゃったくらい。でも、あたしもともと気が強いし、彼のこと避けてるのはもっとイヤだから、一生懸命普通に話すように努力したの。なのに、皮肉なもんよね、ひとがせっかくすっごく努力してやっとまともに元通りしゃべれるようになったのに、その頃になって二人はつきあってるとかデキてるとかみんな言うのよ！　あたしの気持ち、分かるでしょ」

美香子は思わず頷いた。沙世子が気の毒だと思うのと同時に、二人はつきあっていない！　関根秋は沙世子のことを好きじゃないのだ！　という事実が、彼女の心の中にパッと明るく輝いた。美香子は後ろめたさを感じながらも、その事実をひそかに喜んだ。

「でも、最近はやっと平気になったの。それだけ仲良く見えるんだから、少なくとも嫌われてはいないんだな、と思うようになったし、いつまでも気軽に話のできる仲でいたいと思うわ。ね、誰にも内緒よ、こんな話。――あなたは？　あなたはいつから彼のことが好きなの？」

美香子は自分でも意外なほど、素直に自分の思いを打ち明けた。

一年のとき、クラスが同じで、一緒に委員をやって好感を持ったこと。クラスが別々になってから、時間が経《た》つにつれてますます憧《あこが》れがつのっていったこと。学園祭で、彼が写真部の受付にいる度に、欲しくもないスナップ写真を貰いに行ったこと。彼自身の写真がないのでいつも残念に思っていたこと――

「佐野さんて、おしとやかなのに実は情熱的なのね。あたしなんか、たったの半年で玉砕だけど、三年越しだものねえ、すごいわ」

沙世子が感心するように言った。

「ううん、こうしてぎりぎりまで引っ込み思案で何もできなかったんだもの。しかも、津村さんが仲良くしてるからって、いきなり津村さんを呼び出してこんなこと言っちゃって――あたし、恥ずかしいわ、情けないわホントに」

「そんなことないわよ、わかるわ。でも、これで誤解は解けたでしょ。あたしは駄目だったけど、佐野さんだったら大丈夫よ。がんばってほしいわ」

「津村さんが駄目だったのに、あたしなんかもっと駄目よ」

「ううん、きっと大丈夫。くやしいけど、あたしが男だったら、あなたみたいな、守ってあげたくなるような、女の子らしい人がいいと思うな」

「そうかしら」

「そうよ、自信もちなさいよ。あたし、佐野さんだったら応援するわ」

沙世子は美香子の手をつかんだ。

その瞳には、ほんの少し前まで浮かんでいた涙はもう見当たらなかった。


その日を境に、佐野美香子は足繁《しげ》く十組の教室に、沙世子に会いに現れた。

何日かおきには、二人で楽しそうにぴったりとくっついて帰ってゆく。美香子が嬉々《きき》として「沙世子ォ」と現れるさまは、普段の彼女の愛想のなさを知っている同級生たちには驚きだった。

何より度肝を抜かれたのは、佐野美香子の計画を知っていて、なんとか秋と沙世子をくっつけようと画策していた由紀夫たち四人だった。

「ねえ、これってどーゆー展開なのかしらん」

容子が、その日の昼休みも沙世子に会いに現れた美香子を教室のはじに見ながら、いまだに信じられない、という表情で呟《つぶや》いた。

「佐野ってその気《け》があったのかいな。秋から津村に乗り換えちまったんじゃないの？ありゃどう見てもライバルに会いに来るというよりは彼氏に会いに来るって感じじゃん」

　由紀夫は羨《うらや》ましそうに、華やかにおしゃべりをしている沙世子と美香子を眺めた。隣の雅子は、ここのところあまりご機嫌がよろしくない。

「なによ、沙世子ったら、あたしよりもあんなブリッ子がいいっていうのッ」

　雅子は半分冗談、半分本気で呟いた。しかし、呟きながらも頭の片隅にひっかかっているものがあった。

　きのうの放課後も、美香子が沙世子を迎えに現れた。一緒に帰る約束をしていたらしい。

「あたしも一緒に帰るっ」

　雅子は少々ふてくされて、カバンを抱えて沙世子に意地でもついていく構えを見せた。最近、美香子に沙世子を取られたような気がして気分が悪いのである。

「まあまあ、あの子は子供だから、他の人が一緒だとすぐつむじを曲げるのよ。今日は子守りの日だと思って勘弁してよ」

　沙世子は苦笑しながら雅子をなだめ、スッと雅子の耳元に囁《ささや》いた。

「あたしが愛してるのは雅子だけだってば。ごめん、あたしだって雅子といたいわ。でも、もうちょっとの辛抱だからさ」

雅子がその言葉の意味を考えているうちに、沙世子は手を振って美香子の方に駆けていってしまっていた。

もうちょっとの辛抱だから――あれはどういう意味だったんだろう。ひょっとして沙世子はあたしたちの思惑も、佐野さんの計画も、何もかもお見通しなんじゃないかしら？　だったら、この先いったいどうしようっていうんだろ。うーん、やっぱり沙世子ってわからない。

「ほら、花宮だって俺より津村の方がいいんだもんな」

由紀夫がしょんぼりとつまらなそうに呟いたので、容子と雅子は吹き出してしまった。

「それにしても、最近噂《うわさ》の中心人物であるはずの秋くんの姿を見ないけど、どうしちゃったわけ？　全国模試でもベスト三〇に入ったって人が今さらガリ勉してるとも思えないけど」

容子は教室内を見回した。確かに、佐野美香子の登場回数が増えているのに反比例するかのように、関根秋の影が薄くなっているようである。

「そう、秋は秋で最近設楽とここそ部室にこもってなんかやってるんだよな。くそ、俺たちがこれほど温かく見守ってやってるというのに、あいつは一体何をやっとるんだ」

由紀夫は鼻息も荒く呟いた。

部室の床はコンクリートの打ちっぱなしになっているので、いかにも寒々としている上に、十二月の上旬も終わろうという頃になると、昼間でも凍り付いた床下の土の冷気がじわじわとはいあがってくるような寒さを覚える。

秋と設楽は、連日昼休みに、すっかり人気《ひとけ》のなくなった学園祭実行委員会室にこもり、コードのちぎれかけたオンボロ電気ストーブを足元に据えながら、ボソボソと今年のサヨコの真相と意義を論じあっていた。

今では、秋は、春からの全《すべ》ての出来事を設楽に打ち明けてしまっていた。設楽はその信じられないような一連の出来事と、津村沙世子という存在の奇妙さを冷静に受け止めていた。

二人の論点は次のようなものだ。

まず、今年のサヨコは加藤だったが、実際に、九月に花を飾り、あの『六番目の小夜子』の台本を書いた『影のサヨコ』とも言うべき今年の本当のサヨコは誰だったのか？

次の問題点は、その中で黒川はどのように関わっていたのかだ。例えば、あの『六番目の小夜子』を書いたのが黒川であったとすれば、サヨコのジンクスはどうなるのか。

そして、第三の謎《なぞ》は、津村沙世子がどのように関係しているのか、だった。

最も不思議なのは、やはり津村沙世子だった。他の問題点に関して言えば、まあこの学校に何年かいれば、単なる気まぐれや天《あま》の邪鬼《じゃく》で、ヒネた生徒がちょっかいを出したと考えてもおかしくない。あるいは、何年も『サヨコ』を見てきた黒川が、創作意欲をかきたてられて台本を書いてしまったんですと言われても、まだ納得できなくはない。しかし、津村沙世子の出現にいたっては、全く彼らの理解の範疇《はんちゅう》を超えていた。津村沙世子がそこに入ってきたことによって、今年のサヨコはすべての輪郭を失い、ゆらゆらと溶解してしまうのである。秋と設楽は、津村沙世子は第二のツムラサヨコの生まれ変わりなのではないかという苦し紛れの可能性まで真剣に検討した（すぐに年齢が合わないという結論に達したが）。それならそれでスッキリするんだけどな、と設楽はうらめしそうに溜息《ためいき》をついた。

二人はなるべく口に出さないようにしていたが、これらの問題のすべての底には、『なぜ?』という、不透明で気味の悪い巨大な疑問が、海のように横たわっていた。この海に比べれば、この三つの疑問など水溜《た》まりのようなものに過ぎない。『なぜ?』という疑問には、それに帰結する明解な答が求められている。『なぜ?』『なぜ?』と唱えつつ、秋はどんどん草をかきわけるように深入りし、前へ前へと進んできてしまったのだけれど、この深くて暗い海の底には、ジグソー・パズルの断片のようにピタリと気持ち良くはまってくれそうな答は、どうやら見つかりそうになかった。それは、彼のように子供の頃からいつも用意されてきた答をなんの迷いもなく解き続けてきた人間にとっては、非常に居心地の悪いものだった。だからこそ、彼はここまでこの問題にのめりこんでしまったのかもしれないが。

もしかしてこの先、長い人生ではこんなふうにピタリとはまらない答ばかりかもしれないのに、こんなところでうだうだとひっかかってるなんて、オレってホントはものすごいバカなのかもしれないなあ。

秋は自嘲《じちょう》した。しかし、それでも彼は答が欲しかった。

「なあ、設楽」

ある日の昼休み、秋はふと思い付いて言った。

「例の学園祭実行委員会マニュアルってやつ、見せてくれよ。一度見てみたいと思ってたんだ」

「今は見られないよ」

「え、どうして」

「そこの鍵《かぎ》のかかる戸棚に入ってるんだ。学園祭の収支報告が終わっちまうともう、次の委員会を開くまで鍵かけて、鍵は職員室保管になるのさ」

設楽は部屋の奥の、汚い錆《さ》びたスチール戸棚を指さした。

「誰か今まで持ち出した奴《やつ》とかいないのかな。そうすりゃ、どっか俺たちの知らないとこでこの行事のことを知ってる奴とかいても不思議じゃないんだけどな」

「おまえな、サヨコの祟《たた》りはこのマニュアルにまで及んでるんだぜ。このマニュアルを持ち出したり、実行委員会以外の人間に見せたりしただけで、そいつは大学をスベると言われてるんだからな。みんな、案外臆病《おくびょう》なもんでね。少なくとも、俺の見た限りじゃ持ち出した奴はいないと思うな」

「そうかな。これだけサヨコ伝説がしみついちまった今ならともかく、初期の頃なんかそうでもなかったんじゃないかなあ。俺、やっぱり見たいな。吉凶の占い方とかも出てるんだろう？」

「やめてくれよ、俺はイヤだぞ。見るんなら、俺の知らないうちにだな、職員室から学園祭実行委員会、っていう鍵を持ち出して、そこを開けてみてくれよな。俺だって一応一受験生なんだから」

「はいはい」

秋は首をすくめた。


美香子は沙世子に夢中だった。

彼女は、沙世子と話すようになって初めて、女友達の素晴らしさというのを知ったような気がした。自分のことや自分の好きな相手について話すのを気持ち良く聞いてくれ、かゆいところに手が届くように濃《こま》やかな言葉で自分の性格や気持ちを分析してくれる。しかも、その一方でなんでもおおらかに受け止めてくれる。こんな居心地のよい友人というものを美香子は今まで持ったことがなかった。今までの友人は、美香子と同じような大人しい内向的なタイプの子がほとんどで、つっこんだ話をしたり、お互いの性格を分析したり、というようなことは全くなかったのだ。こうも会話の全てが発見に満ちて面白い友人というのは、彼女にとっては初めてだったのである。

それってきっとこうなのよ。

美香子はそんな人じゃないのよ。

わかるわ。でも美香子は本当はそうじゃないと思ってたんじゃないの？

沙世子はこんなふうに、美香子が思い付くままに話したことをつないで、美香子が思ってもみなかった自分の考えや性格を、目の前にどんどん広げて見せてくれる。

しかし、沙世子が美香子の中身をどんどん引き出しては二人のあいだにさらけだしているのに比べ、沙世子の方はほとんど何も美香子に見せていない、ということに美香子は全く気が付いていなかった。世の中にはよくこういう種類の人間がいる。いつも自分の話しかしていない、たくさんの人としょっちゅうお喋りしているように見えても、結局相手を媒体として自分を反芻《はんすう》しているだけ、という人間が。美香子は沙世子が自分に多くのものを与えてくれた、と彼女に感謝していたが、その実、沙世子は美香子に何も与えてはいなかった。単に彼女が自分を反芻する媒体に、あえてなってやっていただけである。気持ち良く他人を反芻させてくれる人間など、特にまだ思春期の中にある若い世代においてはそうそういるはずがないから、美香子がその居心地の好《よ》さにめろめろになってしまったのも無理はない。しかも、美香子はもう一つの事実にも全然気付いていなかった。沙世子の見せてくれる自分が本当の自分だと信じて疑わなかった、という事実である。彼女は既に盲目的に沙世子を信頼していた。沙世子が「美香子はこうなのよ」と言えば自分がそういう人間だと思い、「美香子はきっとこうしたいのよ」と言えば自分はきっとそうしたいのだと、彼女は無意識のうちに考えるようになっていたのだった。

「――ほら、また部室にこもってるわよ、あの二人」

その日も、二人は連れ立って、図書室の窓の下に見下ろせる、離れた部室の中にいる設楽と秋を眺めていた。

「何してるのかしら、毎日」

美香子は窓ガラスに手を当てて、じっと秋の姿を見つめた。

「なんでも、この学校に伝わる気味の悪い伝説を調べてるんですって。男の子って、よくもああ変なことに夢中になれるもんだわね?」

沙世子は美香子に顔を寄せて囁いた。

「なにもこのクソ忙しい時期に、みんなが目の色変えて勉強してるっていうのによ、あんなとこであんなことしてなくてもいいと思わない？」

沙世子は力をこめる。

「そうよね、せっかく毎日のように十組に遊びに行ってるのに、全然姿が見られないいんだもの」

美香子も不満そうに呟いた。

「ほんと、腹立つわ。ここでこんな可愛《かわい》い女の子が彼を思ってるっていうのに。ねえ、美香子だってあと少ししか高校生活がないっていうのに、悔しくないの？　少しでも彼と話をしたいと思わない？」

「そう、あとちょっとしかないのよね——年が明けたら共通一次で、二月にはもう自由登校になっちゃうし——彼と話せたらなあ——」

「彼と話すべきよ。こんなに何年も彼のことを思ってたんだから。馬鹿《ばか》みたい、あんなつまんないことに夢中になってさ。でも駄目ね、彼は頑固だから、目の前のおもちゃを取り除かない限り女の子の気持ちなんか分からないわ」

「あーあ。沙世子だったらどうする？」

彼と話してみたい——彼を目の前にしてみたい——彼に自分を見てもらいたい——自分がずっと彼を思っていたのだと、彼を驚かせたい——

美香子は自分が秋と話しながら歩くところを想像した。

「そうね、まず手始めにあの汚らしい部室を焼き払っちゃうわ」

沙世子は両手を広げて笑ってみせた。

「こわーい」

美香子は自分が部室に火を放つイメージを思い浮かべてクスッと笑った。マッチを擦る——火を放つ——燃える——全部燃えてしまって——ぼうぜんと焼け跡に秋がたたずんでいる——そのときあたしが後ろから近付いていったら、彼はどんな顔をしてあたしのことを振り向くのだろうか。そのときはあたしのことを見てくれるのだろうか？

「がんばるのよ、美香子。あたしの分までね。彼が今まで美香子のことを放っておいたことを後悔させなくちゃ」

「できるかなあ、あたしに」

弱々しい言葉とは裏腹に、美香子の目はぼんやりと夢を見ているようだ。

「できるわよ、美香子だったら。大丈夫、美香子なら」

沙世子は勝ち誇ったように美香子の肩を叩《たた》いた。

「なにい？　忘年会？」

ある日の昼休み。

由紀夫は、寝ぐせのついた髪と睡眠不足の充血した目で、前の席から回ってきたレポート用紙を見て顔を乱暴にこすった。最近、彼は自分に猛勉強を強いていたのである。

「溝口んちでやるんだって。出席者は名前を書くようにってさ」

「溝口んちィ?」

「知んない? 溝口んちって有名な料亭なんだぜ。あいつ跡取り息子なんだ」

「へーえ。十二月二十四日。午後五時から。会費二千円。三百円以内のクリスマス・プレゼント持参のこと。信じられん、こんなに参加するのか」

由紀夫は出席者の名前を見てびっくりした。ざっとみて、三十人分はある。

卒業年度のクラスはまとまりやすいが、その中でも三年十組は特にまとまっている方だった。それはひとえに学園祭の『うたごえ喫茶　みぞぐち』のおかげだったと言っても過言ではない。

二学期もあと一週間。砂時計の砂が落ちていくのが見えるようだった。生徒たちは、学校で同級生たちが追い込みに励んでいるのを見ては、互いに焦《あせ》ったり神経を磨《す》り減らしたりしていたものの、そのくせ冬休みになって一人で家に閉じ込められるのも恐れていた。その、一人きりになる恐怖を打ち消すためか、どのクラスもこぞって二学期の最終日に忘年会を企画した。

「唐沢くん、これ最後のチャンスよ、きっと」

容子がさっと横に飛んできて囁《ささや》いた。

「うん、たぶんそうだな」

由紀夫はその出席者名簿に、乱暴な字で関根秋と津村沙世子の名前を書き加えた。


「秋、夜食よ」

扉の向こうからおっとりした母親の声がした。

「ありがと」

秋はノートから目をあげ、立ち上がって戸を開けた。小柄な母がちょこちょこと部屋に入ってきて、サイドテーブルに小さな土鍋《どなべ》と小皿ののったお盆を置いた。

「秋、明日はこの冬いちばんの冷え込みですってよ、早めにおやすみなさいね」

母は心配そうに言った。この母は、子供が三人もいたというのに、現代の受験戦争に関する知識が皆無であった。もし秋の成績がものすごく悪くて、どこの大学も無理だと言われたとしても、別になんとも思わなかっただろう。それよりも母は、歳《とし》の離れた末っ子で可愛がっていた秋が、兄と姉に続いて、大学に入って家を出ていってしまうことをひどく淋《さび》しがっていた。どんなことにもおおらかで天真爛《らん》漫《まん》な母が、時折しょんぼりしているのを見ると、さすがに秋もつらくなる。

「うん、なるべくそうするよ」

母が階段を降りて行く音を聞きながら、秋はサイドテーブルのそばの大きな籐《とう》の椅子《いす》に腰掛けると土鍋の蓋《ふた》を開けた。好物の中華粥《がゆ》だ。母は冬になるとよく、鶏《とり》をまるごと一羽炊《た》きこんだ本格的な中華粥を作ってくれる。

小皿にお粥を取り分け、薬味をのせてフーフーさましながら、湯気の向こうの壁にかかったカレンダーにぼんやりと目をやった。

タイムリミットが迫っている。

年が明ければもう、残っているのは受験だけ。あとは結果を待つしかない。秋も設楽も、暗黙のうちに、サヨコの話は二学期限りでもう口にしないことを決めていた。二人にはしょせん何もできなかった。何もわかりはしなかったのだ。毎日ごそごそ話し合ってはみたものの、何を調べたというわけでなし、黒川や津村沙世子に当たってみたわけでなし。推理小説みたいに、主人公がどんどん探りを入れていろいろな事実を調べ出す、という具合にはいかないもんだな、と秋は情けなく思った。

その二学期もあと二日。あさってはもう、終業式だ。

残ったお粥をズズと胃に流し込み、げっぷをしてから再び机に向かう。

ノートでシャープペンシルの芯《しん》がぽきんと折れた。カチャカチャと頭を押しても、芯が出てこない。

新しい芯を入れようと机の引き出しを開けた彼は、そこに、グロテスクなゴツゴツした、古びた大きな鍵を見た。

秋は動きを止めて、じっとその鍵に見入った。

生死の境をさまよった加藤が、医者と母親の手を借りて、俺に渡した鍵。十何年も、いろいろな人間の手を経て、今こんなところに突っ込まれている鍵。

ずっと認めずにきたけれども、確かに俺も今年のサヨコなのだ。今年、何人ものサヨコが現れてきたが、俺もその一人であることは間違いのない事実なのだ。

――だとしたら、俺がサヨコとして何か行動を起こしたとしても、構わないのではないか？

突然、その考えがどこからか降ってきた。その、降ってきた考えに彼は自分でも驚いていた。

その時、一階で電話のベルが鳴るのが聞こえ、秋はハッと我に返った。母が電話を取る気配がする。

「秋！　電話よ」

秋は立ち上がった。誰だろう。由紀夫かな？

彼は戸を開け、ついでに食べ終わった夜食のお盆を持って、とんとんと階段を降りた。

「誰？」

母から受話器を受け取りながら秋は尋ねた。

「女の子よ、佐野さんて人」

「心臓が止まるかと思ったわ！」

受話器の向こうで、美香子の興奮した声が叫ぶ。

「で、いつにしたの？」

沙世子は肩に受話器を挟み、マフラーの編み目を数えながら尋ねた。

「あさってよ。終業式の日の午後。二時にあの、学校の下の橋のところで待ち合わせしたの」

美香子は舞い上がっていた。秋に電話を掛け終えたあと、すぐさま沙世子に電話してきたのだ。

「ね、どうしよう、断られたら」

美香子は急に怯《おび》えた声になった。秋のそっけない口ぶりを思い出して不安になったのである。

「何言ってるの、大丈夫、そんなことありえないわ。もしそんなことになったら、それは関根くんが間違ってるのよ」

沙世子は強い口調で目の前の壁を睨《にら》み付けた。

「いい？　絶対引っ込んじゃだめ。美香子は間違ってないんだから。負けちゃだめよ」

沙世子の目が光る。

「そうね、ここまで来て尻込《しりご》みしてもしょうがないものね」

美香子のホッとした口調を聞いて、沙世子はまたマフラーを編み始めた。

もうひとことふたこと勇気づけて、沙世子は受話器を置いた。

「全く、手のかかる子ね」

沙世子はマフラーを大きく広げ、編み目が揃《そろ》っているかどうかじっくり点検した。

「ようやく完成間近なのに」

沙世子は無表情に呟《つぶや》いた。


「秋、クリスマス・プレゼント考えたあ？」

いよいよ明日は終業式。今日は今年最後の授業というその日の朝、登校してきた秋に由紀夫が尋ねた。

「プレゼント？　なんだっけ、それ」

秋はカバンを置きながら聞き返した。

「おまえ、ちゃんと説明しただろ、明日のクラスの忘年会だよ」

「忘年会？　ああ、忘年会ね——そうか！　忘年会があるじゃないか」

秋は突然元気になった。彼は回ってきたレポート用紙を見ていないので、由紀夫からちらっと聞いただけのその話をすっかり忘れていた。忘年会！　いいぞ、口実になるじゃないか。

「何時からだっけ、それ。場所は？」

「おまえ、全然俺の話を聞いてないんだなー、五時からだよ、三の浜にある溝口んちで」

「五時！　三の浜！　バスに乗らなきゃ！　しかも、クリスマス・プレゼントを買わなきゃならんときた！　いいぞ、すばらしい！」

「なに浮かれてんだ？」

嬉《うれ》しそうな顔の秋に、由紀夫は不思議そうな顔になる。

昨夜《ゆうべ》美香子から掛かってきた電話は、秋を憂鬱《ゆううつ》にさせた。

内容はすぐに想像がついたが、彼女のか細く女の子らしい、思い詰めた声を聞いたとたん、彼はたちまち逃げ出したくなった。渋々会う約束を承知はしたが、彼は話をすぐに終わらせて逃げ出す口実を今朝も道すがら考えていたのである。

こうも悩み多き年末に、なんでまたそんな重荷を背負わにゃあかんのだ、というのが秋の率直な感想だった。佐野美香子が男子に絶大な人気を誇るのは知っていたし、確かに可愛い子だとは思っていたが、自分とは全く縁のないタイプだと認識していた。女の子をお人形のように大事に扱って機嫌をとるのは彼の大いに苦手とするところだったが、彼女はまさしく誰よりもそういうことを必要とするタイプのように思えた。秋はなんとか穏便にことを済ませたかったが、ああいう線の細い、ぽっきり折れそうな女の子の申し出をうまく断る自信がなかった。

まあいい、明日考えよう。とにかく今日はやらねばならぬことがあるのだ。

秋は憂鬱な気分を追い払うようにカバンを勢いよく開けた。と、教室の前の戸があいて、佐野美香子が顔を出したのでびっくりした。美香子は秋に気付くとたちまち顔を赤らめ、戸の向こうに引っ込んだ。

そういえば最近ちょくちょく顔を見てたような気はしてたが――あれ、あいつ、津村と話してる。ずいぶん親しげな――あいつら、そんなに仲良かったっけか。

秋は妙な気分になった。

その日の昼休み。

寒い部室に、設楽と秋は無言で立っていた。

「――とまあ、こういうわけだ」

設楽は手を広げてみせた。

「一応、やるだけやったよな、俺たち」

設楽は穏やかな表情で秋の顔を見た。

「まあな。あと、今年が成功だったのか失敗だったのかは神様にお任せしようぜ。結果は来年、俺たちが卒業してからのお楽しみ、ってことだな」

　秋がかすかに笑った。

「じゃあな、俺、教室に戻るよ」

設楽が手を上げて部室の戸を開けた。

「うん、よいお年を、だな、もう」

「そっか。もう、来年か、会うのは。よいお年を」

設楽は静かに笑って、出ていった。

　秋はしばらく一人でじっと部屋の中に立っていた。ゆっくりと、鍵《かぎ》のかかった戸棚を振り返る。それから、彼は部室を出て、職員室に向かった。中は教師たちの吸う煙草《たばこ》の煙で澱《よど》んでいた。

　奥の壁に、学校中の鍵がぶらさげてあるコーナーがある。

「先生、実行委員会室の鍵借りますよお」

「何するんだ関根、そんなの今ごろ」

「実行委員に僕の電卓貸しっぱなしだったんですよ。今のうちに回収しなきゃ備品にされちまいますもん」

「卒業記念に寄付してったらどうだ」

アハハ、と笑いながら秋は壁につるしてあるノートに、組と、名前と、持ち出した時間を書いて、黄色いプラスチックの「学園祭実行委員会」と書いてあるキーホルダーのついた鍵をつかんだ。

秋は廊下に出て、トイレに入った。トイレの個室で、ポケットの中に入っていた鍵を取り出した。その鍵にも黄色いプラスチックのキーホルダーがついていて、「学園祭実行委員会」と書いてあった。本当のところは、彼の家の物置の鍵だったのだけれども。

しばらく時間を潰《つぶ》してから、秋は職員室に戻り、彼の家のスチール製の物置——竹ぼうきだの、ゴムホースだの、スコップだのが入っている——の鍵を壁に掛け、ノートにその時間を書き入れた。


さしたる感動もなく、今年最後、実質的には三年間の最後の授業が終わり、生徒たちは静かに帰っていった。そう、物事の終りというのは意外とあっけないものなのだ。

沙世子と雅子、由紀夫と容子の四人は忘年会のプレゼントを求めて、駅前の繁華街にやってきた。白々しいクリスマス・ソングがけたたましく街中に流れている。

「三百円、三百円——この諸物価高騰《こうとう》のおりに三百円っていうのはけっこう難しいわねえ」

沙世子が雑貨屋を物色している脇《わき》で、雅子が話しかける。

「ね、あのマフラー完成したんでしょ、あしたゼーッタイ持ってきてよ」

雅子はことあるごとに、沙世子の編んでいたブルーグレイのマフラーを自分にくれとせがんでいたのである。

「うんうん、わかったわかった、絶対持ってくる」

沙世子は頷《うなず》きながらも目はウインドーディスプレイに向きっぱなしだ。

「忘れちゃだめよ、あたしへのクリスマス・プレゼントよ。忘れたら忘年会の時間までのあいだに取りに行ってもらうわよ」

「うんうん、忘れない。そんなに気に入ったの、あんな地味なマフラー」

沙世子はあきれたように答えた。

「そうよ、すっごく気に入ってるの」

雅子は頑固に言い張った。これも、雅子たちの計画の一部なのである。

さんざんうろつきまわったあげく、沙世子は赤い靴下、雅子はプラスチックのグリーンのカップ、容子は赤と緑のマジックを買った。由紀夫はこれというものが見つからず、悩んだ末に「いいや、あした秋と一緒に選ぶよ」とあきらめた。

容子は高橋と待ち合わせてるから、と去ってゆき、沙世子も用があると言って帰っていった。

由紀夫と雅子は特にあてもなくぶらぶらと街の中を歩いていった。

「もう、今年も終わっちゃうのね」

雅子がしみじみと呟いた。

「早かったなあ、今年は」

由紀夫もそれに答えるように言った。クラスが一緒になってから、こうして二人で過ごすようになるまでの時間を互いに思い浮かべる。

「これ、一日早いけど。あしたは荷物になるから」

雅子は紙袋を由紀夫にさしだした。

「え、俺に？　なに、これ、プレゼント？」

「うん、あたしが編んだの。下手くそで恥ずかしいから、家に帰ってからこっそり見てね」

由紀夫は一瞬立ち止まって紙袋をじっと見つめた。

「う、うれしい」

由紀夫は泣きそうな顔になった。

「俺、枕元《まくらもと》に置いて泣きながら寝るよ」

「おおげさね」

雅子は由紀夫の感激した顔を見て、身体《からだ》じゅうが暖まるような嬉しさを感じたものの、彼の大真面目《おおまじめ》な言い種《ぐさ》に思わず笑ってしまった。

「あした、沙世子、ちゃんとマフラー持ってきてくれるかしら。どうも不安だわ」

雅子は沙世子のうわの空の顔を思い出して口をへの字に曲げた。

「大丈夫、大丈夫。すべて丸くおさまるよ」

由紀夫は明日の計画などすでに頭になく、ひたすら上機嫌であった。


秋は部室に入り、戸を閉めた。他の部活動も今日は早く終わるだろうから、教師が見回りに来ないうちにとっとと読んでしまわなければならない。彼は、できればマニュアルを持ち出してコピーしてしまおうと思っていた。そうすれば、卒業してからも『戦利品』として、あるいは『思い出の品』として、ゆっくり読み返して今年の『結果』を比較検討し、老後の楽しみ(?)にできるはずだった。

冬の日の落ちるのは本当に早い。四時を過ぎたばかりだというのに、辺りにはもう夜の気配が忍び寄っていた。

他の部室でもあかりのついているのは一つか二つ、暗くなってあかりがついていると目立ってしまう。

秋は戸棚の鍵穴に鍵を入れ、少々てこずりながら戸を開いた。真っ赤なものが入《は》っていてギクリとしたが、よく見ると、それは今年の学園祭前に校門のところに吊《つ》り下げた、あの赤いてるてる坊主《ぼうず》だった。

「捨てろよな、こんなもん」

秋は悪態をつきつつもホッとした。

戸棚の中は思ったよりもガランとしていて、四角い大きな海苔《のり》の缶がぽつんと置いてあった。

これだな、と秋は缶の蓋《ふた》をあけた。と、そこには赤い板が置いてあり、「**警告！**」と大きな文字で書いてある。

「**ここにあるのは学園祭実行委員会のマニュアルです。実行委員以外の閲覧はできません。なお、ここからの持ち出しを固く禁止します。この警告に従わない者への責任は一切負いません**」

ひえー、おどかすなよ。

その板に書かれている文章を読んで、秋は身震いした。これじゃあ、設楽だって嫌がるわけだよな。

板をよけると、ビニールのケースに、古ぼけた大学ノートが入っていた。秋は、考古学の発掘現場で、貴重な副葬品を掘り出しているような気分になった。

ノートにはさらにビニールのカバーがかけられていたが、十年という歳月は、既にノートを古文書にしていた。

ページはすっかり黄ばみ、あちこちに茶色い跡になりかけたセロハンテープが貼《は》られ、綴《と》じた糸がほつれかけている。こりゃあ、持ち出そうにも、ボロボロになるのが怖くて持ち出せないな。

秋は机の上にそうっとノートをのせると中をあけた。

「学園祭実行委員会実施要綱・実行委員以外極秘・禁帯出」

非常に筆圧の強い、男子生徒と思われる几帳面《きちょうめん》な字でタイトルが書かれていた。秋は丁寧にページをめくった。

予想以上に中身は短かった。

ここでは、サヨコの歴史などには全く触れられておらず、こういうものがこういうルールで行われるということと、実際に今年のサヨコが何をしたら具体的に何をするか、ということが簡潔に述べられているにすぎなかった。たったこれだけで、実行委員が、なんの疑問も持たずにあれだけの行事を行っているというのが彼には信じられなかった。

ということは、残りの大部分は、学園内の伝承に頼っているということか。

秋は改めてサヨコ伝説の威力に愕然《がくぜん》とした。さすがに気味が悪いな。たったこれっぽっちの汚い字で書かれた古ぼけたノートを後生大事に守ってるなんて。確かに俺自身もこのサヨコ伝説に魅力を感じてきた一人だけど、何がいったいこれほどまでに生徒たちを動かしているのだろう。

それとも、もしかして本当にサヨコはいるのだろうか？

その瞬間、自分が小さく縮んでいくようなめまいに似た感覚を覚えた。

誰かも、俺と同じようにこんな疑問を感じたのではないだろうか。この古い校舎の、この狭い部室でこのマニュアルを読みながら、同じことを考えたのではないだろうか。彼は、自分が誰かと同じことをしている、自分が予定された行動を繰り返しているだけだ、という感じがした。俺のような、余計なことを考え、ここそこと探り回る第三者をもってして、このサヨコという行事が何年も継続してきたのではないだろうか。こうして学校というこの閉じた世界はぐるぐると永遠に回り続けているのではないだろうか
――

彼はその刹那《せつな》、何かを理解していたのかもしれない。しかし、彼は再びマニュアルのページをめくりはじめた。

最後の方にきて、「付記」というページに突き当たった。

そこだけ、字が違う。きれいな女文字だ。秋はそこを読んだ。

「――くれぐれも油断は禁物です。『サヨコ』となった者は、孤独で、恐怖と不安にさいなまれています。『サヨコ』となった者は、神聖であると同時に忌《い》むべき存在であることを忘れてはいけません。『サヨコ』となった者が他人に助けを求めてしまったり、早々に自らサヨコであることをさらけだしてしまったりしたら、そこで魔法はとけてしまうのです。そうなることをみんなでくいとめなければなりません。さらに、もっと警

戒すべきなのは、邪悪な第三者の介入です」

秋はギクリとした。

邪悪な第三者の介入。それはまさしく今年ではないだろうか。

設楽はここを読んでいたはずだ。なぜ俺には話さなかったのだろうか。

「孤独で不安なサヨコには、いろいろな者が近付いてきます。これらの介入を未然に防がねばなりません。なぜならば、第三者の介入は、サヨコ対われわれ、及びサヨコ対生徒たちという図式を根底から崩してしまいます。この図式が崩された場合、この行事はもともとの意義を失い、その年の『サヨコ』は、成功でもなく失敗でもなく、無効となってしまうからです」

無効！

その二文字は大きく秋の目に飛び込んできた。成功でもなく、失敗でもない。無効

——ということは、結果は？

その時。

秋はビクリとした。背中の、扉の向こうに、かすかな音を聞いたような気がしたのである。

突然、一切のものが沈黙し、部屋中の空気がぶわっと音をたてて膨らんだ。

秋は動けなくなった。

ふと窓の外を見ると、他の部室はみなあかりが消えていて、暗い窓ガラスに、怯《おび》えた表情の自分の顔が映っている。この部室、この敷地内には俺一人しかいない。そして、扉の向こうに、確かに誰かがじっと立っている。なぜ？ 気のせいではない。誰かが息をひそめてじっと立っているのだ。どうして声をかけない？ 秋は後ろを振り返ることができなかった。窓ガラスに映る自分の背後にある扉を、じっと穴があくほど見つめた。ざわざわと鳥肌が立った。誰なんだ？ 凍り付いたように身体が動かない。

「誰だ」

突然声が出た。

意外としっかりした声なのに自分でも驚いた。しかし、彼はまだ後ろを振り向けなかった。彼はじっと窓ガラスを見つめた。キィーというかすかな高い音がして、窓ガラスに映った扉が細く開いていくのが見えた。細い扉の隙間《すきま》には、漆黒の闇《やみ》。秋はバッ、と、ついに振り向いた。手が痛くなるほど机のはしをつかんで、かすかに開いた扉を見た。

扉はさらにゆっくりと開いてゆき、外の闇が大きくなり、その奥にボウッと人影が浮かび上がった。

煙草の細い煙。見覚えのある眼鏡。ツイードの、チェックの背広。

「先生」

そこには、銅像のように静かに、黒川が煙草を吸いながら立っていた。

「なんだ、関根。そのお化けでも見たような顔は。ン？」

黒川はいつもの調子でゆっくりと部室の中に入ってきて扉を閉め、入口に近いところの長椅子《ながいす》に腰掛けた。

他の誰が入ってきても、こんなに恐怖を感じなかったかもしれない。彼の頭の中には、「邪悪な第三者」という言葉がわんわんと鳴り響いていた。まさか、この黒川がすべての――秋は返事もできなかった。二人きりだ、この閉じた世界に俺は黒川と二人っきりだ。さっき感じためまいに似た感覚が蘇《よみがえ》ってくる。

黒川は、開いた戸棚や、机の上に広げてあるマニュアルには目もくれなかった。ゆっくり煙草を吸いながら、世間話でもするようにのんびりと呟《つぶや》く。

「――しかし、よく似てるな、関根んとこの三兄弟は。性格も、行動も。やることなすことそっくりだ。やたら好奇心の強いところもな」

「――そうですか」

秋はやっとのことで返事をした。

どうやら黒川は、秋が鍵《かぎ》を持ち出して戸棚を開けたこともお見通しの上、気付かないふりをしているつもりらしい。秋はちょっとだけ息を吐きだし、ほんの少し落ち着きを取り戻したが、早まった心臓の鼓動はなかなかおさまりそうになかった。

「いろんな奴《やつ》がいるよ、十年も見てると」

黒川は煙を吐きながら、その行方をじっと見守った。

浅黒い顔、太い濃い眉毛《まゆげ》。刻みこまれた皺《しわ》。感情を表さない小さな目。黒川について俺は何を知ってるだろう。何も知らない。なんにも――

「十年も一つの学校にいるっていうの、どういう感じなんですかね。想像もできないや」

秋はようやく普段の調子を取り戻し、ふと心に浮かんだ疑問を口にした。

「ふむ」

黒川はちょっと頷いてから、ゆっくりボソボソと話し出した。彼が、自分の考えを長いセンテンスで話すというのは、よく考えてみると珍しいことだった。

「――つまりな、学校というのは回っているコマのようなものなんだな。いつも、同じ位置で、まっすぐ立ってくるくる回っている。で、おまえら生徒がヒモを持って、コマを一生懸命バシバシ叩《たた》いて、コマが失速して倒れないように努力するわけだ。そして、ヒモをどんどん後輩に渡していって、次々と別の生徒がコマを叩く。コマはずっと同じ一つのコマだけど、ヒモを持つ人間、叩く人間がどんどん変わっていくわけだな。それで、俺が何をしてるかというと、じっとそのコマを見てるんだわな。ちゃんとヨロヨロせずに一定の速度で回っているかどうか見てる。コマというのはホレ、ある程度の速度がないとまっすぐ回らないし、かといって速く回りすぎると位置がずれちまう。オレはちょっと速く回しすぎだとか、おい、ちょっと遅くてヨロヨロしてるぞ、そんなんじゃ倒れちまうぞと、いさめたり、ハッパかけたりする役なんだわな。このコマの回り方っていうのが、それぞれの学校の個性と伝統というわけだ。——この学校は、じつによく回っている。みんな、何も言われなくとも手際《てぎわ》よく次々とヒモを渡すし、いつも速すぎず、遅すぎず、きれいに回っている。学校によっては、コマがあっち行ったりこっち行ったり、倒れたり起きたり、場合によってはずっと倒れたまんまのところもあるからな。——オレはずうっと、こうやってキレイに回ってるところを見てたいと思うよ」

黒川はプカリと煙を吐いた。

秋はじいっと黒川を見つめた。

黒川の話の意味を秋は素早く吟味してみたが、黒川の真意は測りかねた。何を読み取ればいいのだろう？　なんと答えるべきなのだろう？　盗んだ鍵であけた戸棚から出した戦利品を目の前に広げて、罰するべき者と罰せられるべき者が、こんな禅問答みたいな会話を交わしている。

それは奇妙な場面だった。何か言い訳すべきかどうか秋は迷ったが、このまま黒川の調子に合わせることにした。

「コマ、かあ。そんなに危なっかしいもんなのかな、俺たちって」

「そうだ。――でもな、キレイに回ってるコマっていうのはなかなか強いもんだぞ。外から石が飛んできても、はじきとばしちまうぐらいにな」

黒川はポケットから小さなドロップの空き缶を取り出し、蓋をあけ、煙草《たばこ》を揉《も》み消すと、吸い殻を入れてパチンと蓋を閉めて立ち上がった。秋はあっけにとられてその缶を見つめた。

「もう帰れよ、真っ暗だ。坂口先生が見回りを始めるぞ」

黒川は入ってきた時と同様、ゆっくりゆっくり部室を出て行った。

この場面はこれで終りか。

秋はがっくりと肩を落として立ち尽くしていた。何も起こらなかった。

さっき感じた恐怖はもうすっかり消え失《う》せていたが、その恐怖に、身体《からだ》に残っていたエネルギーを全部持っていかれたような気がした。

もはや、マニュアルを読み返す気も、持ち出そうという気も、すっかり萎《な》えていた。

秋は元通りマニュアルを戸棚の中に入れて戸を閉め、鍵をかけた。

彼は激しい敗北感にうちひしがれて、逃げるように学校を出た。

終業式の日は穏やかに晴れた。

「沙世子っ。持ってきてくれたっ?」

雅子は沙世子の顔を見るなり、開口一番そう言った。

沙世子は目を丸くした。沈黙。

「——忘れた」

沙世子がぼうぜんと呟いた。

「もうっ、あれだけ言ったのにっ。やっぱり忘れちゃったのね、ひどいっ」

「ごっ、ごめん、ゆうべ寝る時までは確かに覚えてたのよ、ちゃんときのうのうちにラッピングしておいたんだから——雅子ごめん、取りに行ってくるから」

沙世子はおろおろして、怒る雅子に手を合わせた。

「何を怒ってるんだ、花宮は」

秋がびっくりしたように沙世子と雅子を見た。

「さあねえ。おい、見ろよ、秋」

ニタニタした由紀夫が、秋をこづいて自分の学生服をめくってみせた。

詰め襟の下に着込むとはさぞかし窮屈だったろうに、由紀夫は焦《こ》げ茶色の、凝った模様の手編みのセーターをシャツの上に着こんでいた。

「どしたの、それ」

「へっへー、花宮がオレに編んでくれたんだー。オレ嬉《うれ》しくって、ゆうべねらんなかったよ」

由紀夫はでれでれして、心の底から幸せそうである。

「ほんとにおまえって奴は羨《うらや》ましい奴だよなー」

秋はしみじみと由紀夫の顔を眺めた。

「そーだろ、そーだろ」

由紀夫は秋の台詞《せりふ》を別の意味にとったようである。

これまでずっとそうであったように、終業式も当たり前に終わり、あのざわめいた雰囲気の、学期末最後のホームルームもいつもどおり終わった。こうして見ると、黒川もただのクラスの担任だった。

「では、くれぐれも風邪などひかんように。おしまい」

「ちょっと待ってください！」

突然、溝口が飛び出してきて、黒川の隣に立った。

「えー、本日のクラスの忘年会ですが、黒川先生はご都合が悪いとのことで参加されませんが、われわれのために寄付をいただいたことをここでみんなに報告するとともに、先生に感謝したいと思います。先生、どうもありがとうございました」

おおーっという生徒たちの歓声に続いて、やんやの拍手喝采《かっさい》となった。

「うるさいうるさい」

黒川はそっけなく手を振った。

「忘年会もいいが、はめはずすなよ。溝口のうちだって、今は宴会シーズンで忙しいだろうから、頼むから他のお客さんに迷惑かけるようなことはせんでくれな。はい、解散！」

ガタガタと、椅子から生徒たちの立ち上がる、あの騒々しくも心躍る音が教室中に鳴り響いた。

秋と由紀夫、沙世子と雅子は、晴れてポカポカと暖かい街に出てお昼ごはんを食べた。この四人が揃《そろ》うのは、ずいぶん久しぶりのことだった。

「バス停集合が四時だったわよね？」

「四時二十分のバスに乗るんだって」

スパゲティを食べながら、沙世子と雅子は時間の確認をした。

「由紀夫くん、自転車貸して。あたし、いっぺん家に戻らなきゃ」

沙世子は情けなさそうに由紀夫に頼んだ。

「はいよ、チャリの鍵」

由紀夫は沙世子に鍵を渡した。

「あたしもついてくわよ。どうも不安だわ、今度は道路か溝に落っことしてくるような気がするのよね」

雅子が沙世子を睨《にら》んだ。

「えーん、全然信用されてないよぉ。わかったわよ、一緒に行きましょ」

「秋、オレたちプレゼント買わなきゃ」

「あっ、そうだっけ。オレ、ちょっと二時に行くところがあるんだ。三十分以内に戻ってくるからさ、おまえ、『ビアンカ』で待っててくんない？」

「いいよ。しっかし、なんにしようかなあ」

四人は店を出て、そこで別れた。

秋は足取りも重く、美香子と約束した場所に向かった。彼の気持ちとは裏腹に、空は高く澄み、空気は暖かかった。

橋のところに立っている美香子を見つけて、秋はこの場所を選んだのをちょっと後悔した。彼女はいかにもぽつねんと所在なげに立っていて、遠くからもとても目立った。しかし、喫茶店で向かい合ってしゃべる勇気はなかったし、とにかく短く話を切り上げたかった。

美香子の方でも秋を認めたらしかった。自分の姿を見つけて、彼女の顔が恥じらいつつもパッと輝くのを見て、秋はますます気が重くなった。頼むよ、そんな嬉しそうな顔をしないでくれ。

「ごめん、待った？」

秋はつとめてさりげなく話しかけた。

「ううん。ごめんなさい、いきなり呼び出して」

「ここ、うるさいね。そっちに降りようか」

秋は美香子を促して、河原への石段を降り始めた。河原の方が静かに話ができるだろうと思ったのだが、その石段を数段降りたとたん、頭の中にパアッと、あの大量の血が飛び散った、夏の光景が蘇《よみがえ》り、彼は一瞬その場に立ちすくんだ。

そのイメージを必死に追い払い、秋はゆっくり石段を降り、河原を見回した。もちろん、いまやあの惨劇を示唆《しさ》するものは何も残っていない。

「何、用件って」

秋はそっけなく尋ねた。

「あの」

美香子はちょっとためらったが、決心したように顔を上げて秋を見た。

「関根くん、誰か好きな人いる？」

「いや、別に」

「あたしとつきあってほしいの。一年のときからずっと好きだったの」

美香子はきっぱりと言った。

秋は美香子がいきなりズバリと本題に入ったのでぐっと詰まった。大人しくて、すぐに折れそうな女の子、とどこかの男が言っていた。いったいどこのどいつだっけ？

「——ごめん」

秋はうつむいたまま呟いた。

美香子の顔色が変わるのが分かった。

「誰かとつきあってるの？」

「いや」

「じゃあ、どうして——あたしのことが嫌い？」

「まさか。佐野さん、すごく可愛《かわい》いし、そんなふうに言ってくれて喜ばない男なんていないよ」

秋はたじろいだ。美香子の気迫に圧倒される。

「ごめんよ、オレ、君の思ってるような奴じゃないよ。すごくつまらない奴なんだ。今だって、受験のことで頭がいっぱいで、女の子とつきあうなんて余裕全然持てないんだ」

秋は必死に弁明した。

「嘘《うそ》」

美香子は顔をゆがめて鋭く言った。

「嘘よ。じゃあ、毎日毎日部室で何してたの。とても受験勉強してるようには見えなかったわ。設楽くんとボソボソ話してるだけだったじゃないの」

秋はびっくりした。いきなり美香子がそんなことを言い出したのに驚かされた。みんな、けっこう他人が何してるのか見てるもんなんだな、と一瞬関係のない考えが頭に浮かんだ。そのあと、急に、そんなことを言い出した美香子に腹が立った。誰かとつきあってなければ、佐野とつきあわなくちゃならないっていうのか?

「君には関係ないよ」

思わず秋はそう言ってしまった。

「そんな」

美香子は泣き出しそうな声になった。

「どうせつまらないことなんでしょう? あたし、聞いたわ、あの、サヨコ伝説のことをいまだに調べてるんですって? そんなの、くだらないわ。受験で頭がいっぱいなんて、そんなこと言って――」

美香子の声が大きく詰問調になる。秋は、みるみるうちに醜くゆがんでいく美香子の表情に動揺するのと同時に、どこかで聞いたことのある台詞だ、と考えていた。これと同じことを誰かが言っていた――

そうだ、津村だ! 設楽と校庭で、三人でいたときに。

突然、泣きべそをかく美香子の後ろに、津村沙世子の顔が見えたような気がした。

ひょっとして、こいつ、津村に——

「よせよ」

激しく沸き上がってきた怒りに、秋は鋭い声で叫んだ。

美香子はビクッとして話すのをやめた。真っ赤な目から涙が流れている。彼女はこの上もなく無防備で弱々しげに見えた。

「——悪かった、大きな声を出して。でも、オレは、だめなんだよ。佐野さんとつきあいたいと思ってる奴は他にいくらでもいるよ」

秋はもう、美香子の顔が見られなかった。横を向いて、うつむくだけだった。砂を噛《か》んでいるような、苦いものが口の中いっぱいに広がる。まるでぴりぴりと全身に静電気が走っているみたいに、背中に嫌な痺《しび》れを感じた。

美香子はわなわなと唇を震わせ、涙を拭《ぬぐ》いもせずに秋を見つめていた。しかし、彼がもう全く自分の方を見ようとしないのを目にして、話がこれ以上続かないことを悟ったのか、わっと声をあげると顔を手で覆《おお》って、カバンを抱えてそこから駆け出していった。美香子が走り去り、足音が聞こえなくなっても、秋はじっと地面を見つめたまま立ち尽くしていた。なんともいえぬ不快感。

最悪の展開だ！　怒らせるわ、泣かせるわ——

美香子のみじめな、打ち砕かれたような泣き顔が頭から離れない。

秋はのろのろと石段を登っていった。

身体《からだ》が石のように重くて、一足ごとにやりきれない自己嫌悪《けんお》が襲ってくる。

この上なく不機嫌な顔で『ビアンカ』に入ってきた秋を見て、由紀夫は驚いた。秋は感情的にも極めて安定した人間で、こんなに不機嫌な顔を見るのは実に久しぶりのことだった。

「どうした、何かあったのか」

「いや、別に」

「話したくないのか？」

由紀夫は単刀直入にきいた。秋は返事をするのもつらそうだった。

「今はな。すまん」

搾《しぼ》り出すように秋は答えた。

「コーヒー飲んでくか？」

秋は頷《うなず》いてドサッと由紀夫の前に腰を下ろし、頭を抱えた。

「おじさん、ブレンド一つ」

由紀夫は何も話しかけず、秋を無視したまま黙々と問題集を解き続けた。

秋がゆっくりと掌《てのひら》を暖めるようにしてコーヒーを飲み終えたとき、由紀夫はスッと伝票を持って立ち上がり、さっさと店を出ていった。

秋は由紀夫と待ち合わせていたことを感謝した。あのままでは、とても忘年会など行く気分になれなかっただろう。

「もう時間ないぞ、秋。プレゼント買わにゃ」

由紀夫が思い出したように叫んだ。

バス停に向かいながら二人は道の両側の商店を物色したが、気のきいたものは何も見つかりそうにない。

「しょうがない、これにしよ」

二人はバス停の側の店に入った。


三の浜は風光明媚《めいび》な海辺の街で、温泉も近い。

三十数人で連れ立ってきた生徒たちは、先頭の溝口が「あそこ」と指さしたところを見て度肝を抜かれた。

既に暗くなってよく見えなくなってきたものの、そこには延々と続く黒い板塀に囲まれた、馬鹿《ばか》でかい屋敷が広がっていたからである。

「みぞぐち」と名前の浮き出たあかりがともり、堂々とした門から玄関まではきれいに水を打った玉砂利が敷かれ、丁寧に手入れをされた樹木が左右を彩《いろど》っている。

「ひええ、こんなとこ、一生にいっぺん来られるか来られないかだなあ」

由紀夫が大声を上げた。

「たぶん今日が最初で最後だろ」

ようやく元気をとりもどしてきた秋が答える。

生徒たちがガヤガヤと、三十人以上も揃って玉砂利を踏んでいったのだから、たまらない。どんなに遠くにいても、お客が来たというのがすぐ分かったのだろう、広い玄関の三和土《たたき》に、女将《おかみ》と思われる和服姿のスラリとした女性が立ってにこにこ笑っている。

「ただいま」

溝口が元気よくその女性に話しかけた。

「お帰り、もう準備できてるわよ」

「離れの雪の間だよね？」

「そう」

「じゃ、皆さん、ここから上がってついてきてくださーい」

溝口が後ろに向かって叫んだ。ほとんど修学旅行の引率である。

生徒たちは申し合わせたようにその女将を見つめていた。いかにも日本的な、和服の似合う素晴らしい美人だったからである。女将は笑ってお辞儀した。

「祐一の母です。いつも祐一がお世話になってます」

えーっ、という激しい悲鳴が上がった。

「全然似てない」

「どうしてあんな八頭身の美人から溝口みたいなのが生まれるんだ」

「あいつ養子じゃねえのか」

「いや、継母《ままはは》かもしれんぞ」

みんな口々に勝手なことを言いながら、磨きこまれた渡り廊下を通って、庭に囲まれた離れの座敷に通された。座布団《ざぶとん》とテーブルが並べられ、部屋の真ん中に置かれた可愛らしいクリスマス・ツリーには電球のあかりがともり、寄せ鍋《なべ》や飲み物の用意が整っていて、生徒たちは歓声を上げた。

生徒たちの、溝口の出生の秘密にまつわる疑問は、そのすぐあとに、溝口の父親が挨《あい》拶《さつ》に現れた瞬間に解決された。

「や、倅《せがれ》がいつもお世話になってます」

板前の白い仕事着で入口にひざをついた父親は、恰幅《かっぷく》のよい体型といい、人好きのするニコニコした顔つきといい、大きさが違うだけで溝口とほとんど瓜《うり》二つだったからである。

「そっくりー」

父親が去ったあと、思わず皆から笑いが漏れた。

「おい、じゃあひょっとして、おまえの妹って美人なんじゃないか？」

「紹介しろ」

数人の男子生徒が溝口に詰め寄った。

「うちって、なぜか四人とも父親似なんだ」

溝口が淋《さび》しそうに言うと、男子生徒は無言で溝口から離れた。

今年の反省やら、来年の抱負やらをひとしきり皆で宣誓しあったあと、宴会が始まってにぎやかなおしゃべりに花が咲く。

そして、持ち寄ったプレゼントを歌を歌いながらぐるぐる回し、めいめいにゆきわたったところで、一つ一つみんなの目の前であけられた。

のどあめ。リップクリーム。フィルム。お菓子。それぞれ苦労の跡がうかがえたが、大きなカボチャが現れたときには爆笑が沸いた。

「誰だよ、これ買った奴《やつ》」

「オレ、オレ」

由紀夫が手を上げ、ますます笑いが起こった。由紀夫と秋は八百屋に入って、カボチャとキンカンを買ったのである。

「重たいだろうが、こんなの」

当たった男子生徒がブツブツ文句を言った。

「いいだろー、ドアストッパーにもなるし、来年のハロウィンにも使えるぞ」

由紀夫は澄まし顔だ。

内緒で調達したアルコールも手伝って、ますます宴は盛り上がったが、秋はその中でも沈みがちだった。いつものように、華やかで楽しそうにみんなとしゃべっている津村沙世子についつい目がいってしまう。沙世子の完璧《かんぺき》な、いきいきとした表情を見ているうちに、また佐野美香子の泣き顔が目に浮かんできた。

あんな大人しい女の子をけしかけるなんて、とんでもない奴だ。いったいどういうつもりなんだ、あいつ。オレはこんなに嫌な思いをしてるっていうのに。

秋はだんだん腹が立ってきた。

部屋に熱気がこもり、みんな顔を上気させて汗だくになったころ、誰かが窓をあけたのをきっかけに、生徒たちはゾロゾロと夜の浜辺に歩きだしていった。海辺に出るのに、歩いて五分もかからない。クリスマス・ツリーをかつぎだしていく生徒もいた。

「あたし、トイレに行ってくる。先、行ってて」

沙世子が席をはずしたのを合図に、雅子と由紀夫は秋を連れ出し、浜辺に降りた。

強い風が吹き、真っ暗な砂浜に生徒たちがかたまっているのが見える。海の音がおそろしく激しく闇《やみ》の中に響きわたっている。

生徒たちはどこどこの大学に行きたいーだの、だれだれのバカヤローだのと、風が強い海に向かって大声で叫んでいた。

「あのね、秋くん、これ受け取って」

雅子は由紀夫と頷きあってから、紙包みを取り出した。

「なにこれ」

秋はきょとんとした。

「沙世子からなのよ。沙世子のお手製のマフラー」

「え？」

秋は顔色を変えた。

——なんだって？

「沙世子って、あんなふうに男まさりに見えるけど、けっこう照れ屋で素直に思ってること言えないところもあるんだよ。秋くんも、分かってるでしょ」

雅子が微笑《ほほえ》みかける。由紀夫も隣で頷いている。

「——津村が、これを、ほんとに、オレに？」

秋の声に怒りがこめられていると雅子と由紀夫が気付いたのはその時だった。

「う、うん」

雅子は秋の怒った顔を見てたじろいだ。

「——津村は？」

秋の声が大きくなった。

「津村はどこにいる？」

「雅子ー」

その時、後ろの方から沙世子の声がした。雅子と由紀夫がそちらを振り返るよりも早く、秋はザッザッと足元の砂を蹴散《けち》らして、沙世子の方へ早足で近付いていった。

「ひゃー、寒いわね。よくみんなこんなところに――どうしたの、秋くん」

沙世子は自分の正面に立った秋の顔を見て不思議そうな顔をした。

「ちょっと来いよ、話がある」

「え？　何怒ってるの？」

「いいから」

秋は、沙世子の腕をつかんで、ずんずんと風の強い暗い浜辺を、生徒たちの集団から離れるように歩いていった。風の抵抗が強くて、足元もよく見えない。

雅子は紙包みを胸に抱えたまま、おびえたように驚いた顔の由紀夫を見上げた。

「――佐野にいったい何を吹き込んだんだ」

秋は強い口調で沙世子に尋ねた。耳元で風が鳴り、髪の毛が目をふさぐ。

「なんのこと」

落ち着いた声で沙世子が聞き返し、秋の顔をじっと見た。

彼女の長い髪が海に向かって一直線に流れ、白い顔がぼんやりと浮かんで見える。

冷静な沙世子の声に、秋の怒りが爆発した。

「俺が毎日部室で何をしてたっていうんだ！　そんなの津村や佐野には関係ないだろ！　卑怯《ひきょう》じゃないか、佐野を使ってあんなこと言わせるなんて」

「あたしが何をしたっていうの」

「わざわざ佐野に、オレにサヨコのことを調べるのをやめろって言わせてるじゃないか。最近しょっちゅう佐野と一緒にいたのは知ってるんだ」

「ねえ、何を怒ってるの。それで、秋くんは佐野さんになんて言ったの。そもそも彼女が秋くんと話した理由はなんだったの」

秋はぐっと詰まった。

「それはつまり」

「彼女をふったのね」

沙世子がグサリととどめを刺すように言った。沙世子の大きな瞳《ひとみ》が、闇の中で月のように輝き、秋に近付いてくるのが見えた。

「あたし、確かに佐野さんから、秋くんが好きで、つきあってほしいんだけどどうしよう、っていう相談は受けたわよ。それは彼女の自由ですもんね。よしなさいとは言えないでしょ？　それだけよ。あなた、佐野さんをふってしまって、彼女を傷つけたことに傷ついて、あたしに八つ当たりしてるんじゃないの？」

勝てない、と秋は思った。沙世子の言うことは当たっていた。秋は美香子を泣かせたことにショックを受けていたのだ。

「いや、そんなことは」

秋の口ぶりが鈍くなった。

「ほーら、ごらんなさい。さぞかし気持ちよくふったんでしょうね。だって、他人に踏み込んでこられるのがイヤなんですものね、秋くんは。そのくせ、死んでしまった女の子やいもしない人間のことをいつまでも詮索《せんさく》してる。ああもう、頭のいい男の子ってどうしていつもそうなの。いったい何が欲しいの。どうしてほしいの。なんであたしに怒るの。あたしはただの女の子よ、秋くんと同い歳《どし》のね」

沙世子の口調は、最後の方はほとんど怒っていた。ほとばしるような彼女の怒りを遮るように秋はボソリと呟《つぶや》いた。

「――いや、違うよ」

「なにが」

「津村はただの女の子じゃない」

「どうして」

「なぜって、津村は鍵《かぎ》を持ってるからさ。そうだろ?」

沙世子はピタリと動きを止めた。

彼女はゆっくりと顔を秋に向け、敵意に満ちた目で秋を見つめた。

秋も、正面から沙世子を睨《にら》み返す。

激しい風が、浜辺のちっぽけな障害物である二人を吹き飛ばそうと襲いかかった。

「答えてくれよ。津村は鍵を持ってるだろう？」

秋はたたみかけるようにゆっくりときいた。

二人は並んで海の方を向くと、しばらく無言で、吹きすさぶ風の中にびろびろとコートのすそを鳴らしながら立っていた。荒々しく砕ける波がときおり白く浮かび上がるが、それを除けば海はおそろしく真っ暗だった。

パッ、と何かの光が見え、秋と沙世子はそちらに目をやった。

誰かがクリスマス・ツリーに火をつけたのだった。

ゆらゆらと揺れる火が、クリスマス・ツリーの形にポッと燃え上がるのが見え、たちまち炎がちぎれて闇の中に散っていく。それは、印象的な、どこか不思議な風景だった。

秋はじっと沙世子の横顔を見ながら返事を待った。魔法の解ける呪文《じゅもん》を待つ、石になった王子のように。ずいぶん長い時間が経《た》ったような気がした。

「――ええ、持ってるわ」

沙世子が前を向いたまま、乾いた声で呟いた。

秋は大きく溜息《ためいき》をついた。

ようやく、サヨコが二人の共通の話題になったのである。

秋はそれだけで一瞬満足してしまいそうになった。津村が認めた！　その瞬間から、秋はもう穏やかな気分に戻っていた。爆発させてしまったことで、怒りが消し飛んでしまったのかもしれない。そのあとにどっと沸き上がってくる疑問を、彼は抑えきれなくなった。

「——なあ、津村、いいかげんに本当のことを教えてくれよ」

秋は沙世子の顔を見た。

「俺も鍵を持ってる。津村の持ってるのと同じやつだと思う。加藤が俺に渡した。でも、俺は臆病《おくびょう》だったからその鍵を使わなかった。でも、誰かが鍵を使ってる。俺が知りたいと思うのももっともだろ？　頼むよ、どんなに荒唐無稽《こうとうむけい》な話でも構わないんだ。津村の口から聞けるのなら、俺はそれで満足するよ」

沙世子が突然、老婆《ろうば》のような苦渋に満ちた表情をしたので、秋はぎくっとした。しかしそれは一瞬のことで、すぐにまた沙世子はいつもの大人びた表情に戻った。

「——どうしてみんな、あたしのことをそんなに買いかぶるのかしらねえ」

沙世子は小さく笑った。

沙世子はコートのポケットに深く手をつっこんで肩をすくめ、うつむいて足元の砂をザッザッと蹴り始めた。

秋はさらに待った。沙世子の姿が、あの自信に満ちた少女の肩が、ちょっとずつ崩れだしたように見える。

「そうね——信じてくれるかどうか分からないけど、話してみようかな——あした——そう、あした。あした、『ビアンカ』ってあいてるのかしら？　あたし、あの店、実はまだ入ったことがないのよね。あそこで待ち合わせましょ。二時ぐらいで、どう？」

「オーケー、待ってるよ」

クリスマス・ツリーは燃え尽きかけ、浜辺の砂に崩れ落ちようとしていた。

二人は、しめしあわせたように肩を並べると、ゆっくりと由紀夫たちの方へと歩き始めた。


佐野美香子は、家に帰ると自分の部屋に直行して、鍵をかけて中に閉じこもった。人目もはばからず、帰ってくる途中もさんざん泣いたのに、改めて一人になってベッドに横たわっていると、涙が涸《か》れたはずの目からまた新しい涙がどんどん溢《あふ》れてくる。

彼女は嗚咽《おえつ》を漏らしつつ肩を震わせて泣いた。

大事に育てられ、いつも大事に扱われてきた美香子は、こんなみじめな思いをしたのは初めてだった。今までさんざん男の子たちに冷たくしてきたことはあっても、自分が冷たくされたのは初めてだった。しかも、生まれて初めて本気で好きになって、この人が今まで近付いてきた男の子たちのように自分のことを思ってくれたら、と切望していた相手に、ああも拒絶されようとは――

美香子は、恥ずかしくて、みじめで、消えてなくなってしまいたい、と思ったほどだった。

心配した母親が、何度か様子を見にきたが、美香子は返事もせずに涙を流し続けた。

それにしても、と、美香子は鼻をグスグスいわせながら考えた。

あんなに怒るなんて、いったいどうしてだろう。部室のことに触れただけで、あんなに顔色を変えるなんて――何がいったいそんなに大事なの？　ひどいわ、いきなりあんなふうに怒鳴りだしたりして。また、新たな涙がにじんできた。

――美香子は間違ってないわ。

その時、頭の中でパッとその声が聞こえた。

――間違ってるのは関根くんの方よ。負けちゃだめ。

再びその声は蘇《よみがえ》った。

美香子はじっと、暗くなった部屋の中で目を見開きながら、その言葉の意味を考えた。

屈辱感と挫折《ざせつ》感にさいなまれていた彼女にとって、その言葉は天啓のように思えた。

美香子はその考えに必死にすがりついた。

そうよ、あたしは間違ってないわ。おかしいのは彼の方よ。

涙が涸れてきて、美香子は自分の心が氷のようにすうっと固まってくるような感覚を覚えた。徐々にこみあげてくる氷のような、怒り。自分をみじめにした相手の、理不尽さに対する怒り。

ひどいわ、なんであたしが、彼にあんなふうに言われなくちゃならないの？

――でも駄目ね、彼は頑固だから、目の前のおもちゃを取り除かない限り、わからないわ。

わからないのね、きっと。誰かが目を覚まさせなければ、彼は永久にわからないんだわ。

美香子は暗闇の中で、じっと目を凝らしていた。

翌日も、穏やかな晴天だった。

美香子が昼ごろ、はれぼったい目で起き出していくと、東京の大学院に行っている、兄の美憲《よしのり》が帰省していた。

「あれ、お兄ちゃん、おかえりなさい。いつ帰ったの」

「ついさっき。みか、おまえ受験で冬休みたいへんだろうし、俺バイト代が入ったばっかりだから、どう、ちょっとドライブして、お昼においしいものでも食べに行こうか」

母親が心配して美憲に、美香子を連れ出して気晴らしさせるように頼んだに違いない、と美香子は思った。面差しのよく似た美憲は、歳も離れているせいか、とても美香子を可愛《かわい》がっていた。

「うん。あのね、美術公園の近くにね、新しいイタリア料理の店ができたのよ」

「よし、そこ行こうか。早く着替えといで」

「うん」

美香子は欠伸《あくび》をしつつ部屋に戻った。

昨夜《ゆうべ》はなかなか寝付けなかった。遅くに夕飯を食べて、お風呂《ふろ》に入って、がっくり泣き疲れて眠ったはずなのに、眠りが深まりそうになると夢を見るのだ。

それは、チロチロと炎が燃えている夢だった。

シュッ、と耳元で誰かがマッチを擦る音がして、気がつくと、暗闇の中で炎が揺れているのだった。じっと見つめていると、炎はどんどん大きくなってゆく。

その繰り返しだった。

夢の中の炎のかけらが頭の中にゆらゆらと残っているような気がして、なんだか頭がすっきりしない。

美香子は自分でも気がつかないうちに、学校の前の道を通っていくように、車に乗り込んだ兄に頼んでいた。

秋はやけにサッパリとした気分で朝を迎え、やけにサッパリとした気分で約束よりも早い時間に『ビアンカ』にやってきた。

冬休みに入ったとあって、さすがに店の近辺も、店の中も、人気がない。

「おや、シュウ、今日から冬休みじゃないのかい」

店の主人が驚いたように、入ってきた秋を見た。

「うん、そうだよ」

秋が窓際《まどぎわ》の席に座ったのを見て、主人は言った。

「そうか、待ち合わせなんだね。ブレンドでいいかい」

「うん」

秋はコートを着たまま脱ごうともせず、そわそわと落ち着かない。

いよいよ。いよいよ、当の津村沙世子から話を聞けるのだ。いったいどんな内容なんだろう。これで、ホントに、今度こそ、オレのサヨコはおしまいだな。

彼は、とてつもなく長い道のりを歩いてきたような気がした。

コートのポケットの中で何か金属の触れ合うチャリン、という音がした。引っ張り出してみると、黄色いプラスチックのキーホルダーのついた鍵が出てきた。

(あ、やば、すっかり忘れてた。返しに行かなきゃ)

秋は慌《あわ》てた。

(三年の担任は出勤してるはずだから、職員室はあいてるな。まだ時間あるし――)

「おじさん、オレちょっと学校行ってくる。すぐに戻ってきます。あのね、今からものすごい美人が一人来るからさ、なんか好きなもの飲んで待っててって言ってくれる?」

「へえ、シュウの彼女かい」

白髪の、上品な雰囲気の主人は目を丸くした。

「ううん、友達」

秋は笑いながら店を出ていった。


「ねえ、お兄ちゃん、あたし買いたい雑誌があるの。駅の裏の駐車場で、少し止めてくれない?」

「うん、いいよ。じゃあオレも駅ビルでCDでも買ってこようかな。二十分くらいでいいかな?」

「うん」

美香子は、ダッシュボードのところに置いてある、兄の煙草《たばこ》とライターにさっきからチラチラと目をやっていた。

オレンジ色に揺れる炎のイメージ。

美香子は、自分が何をしたいのか、何をしようとしているのか理解していなかった。

ただ、頭の中にぼんやりとした残像がうごめき、それに突き動かされて、自分でも気付かないうちに身体《からだ》が動いていく。

兄が、駐車場に車を寄せるために窓から顔を出しているすきに、美香子はスッと兄のライターをポケットに入れていた。それでも彼女は、自分がなんのためにそうしたのか、よく分かっていなかった。

「じゃあ」と兄と別れ、駅前の本屋に行く道をたどりながらも、兄の姿が見えなくなると、彼女はスッと道をそれ、駅から学校への近道を歩き始めた。学校に入るには、長い坂を登り、橋を渡って正面から入る方法と、駅から一直線に国道の下の川べりを通り、校庭の方からあまり使われていない崖下《がけした》の細い階段を登っていく方法とがある。

美香子は何かに魅入られたように脇目《わきめ》もふらず、小走りに川べりの道を進んでいった。

頭の中で、ゆらゆらと形の定まらない色彩が飛び交い、声が響いている。

——目の前のおもちゃを取り除かない限り・目の前のおもちゃを取り除かない限り・目の前のおもちゃを取り除かない限り・目の前のおもちゃを取り除かない限り・目の前の——

いつのまにか美香子は小さい声でそう呟き続けていた。

かなり長い急勾配《こうばい》の階段を、草をかきわけかきわけ、彼女は肩で息をしながらも、一度も休まずに一息で駆け登ってきた。

階段を登りきった彼女の視界に、冬の陽射《ひざ》しの下で、とてもみすぼらしく、老朽化した、あの四角い平屋建ての部室長屋が飛び込んできた。

彼女は、自分が何をすべきか、何をしたいのかを、その瞬間にはっきり悟ったのだった。

沙世子は浮かない顔つきで『ビアンカ』への道を歩いていた。

まさかこんなふうに秋くんと話すはめになるとは思わなかったな――

ゆうべ、秋と二人で戻っていったときの、雅子と由紀夫の落ち込みようといったらなかった。

「ごめん、沙世子ごめん、あたしたちが勝手に思い付いたのよ」

雅子が半ベソをかきながら、沙世子に貰《もら》ったマフラーを、秋に沙世子からと言って渡そうとしたのだ、と打ち明けると、沙世子と秋はぽかんとした顔になった。

逆に沙世子が雅子を慰めるはめになり、結局、そのマフラーは沙世子の手に戻って、今、肩にかけたカバンの中にある。

やれやれ、どうしようかなあ――

こぢんまりとした『ビアンカ』の看板が視界に入ってきた。沙世子はすうっ、と息を吸い込むと、ゆっくりと扉を開けた。

「——あら」

店の中には一人も客がいなかった。

「シュウは今、用があって出かけてるよ。ここで何か飲んで待っててくれって」

カウンターの中の主人が、ニコニコして沙世子に話しかけた。

「あなた、シュウと同じ学校？　うちに来るのは初めてだね」

メニューを渡しつつ主人が尋ねた。

「ええ。この店って秋くんの縄張りなんですもん。今まで入れてもらえなかったんです」

沙世子はメニューを返し、ミルクティーを注文した。

「ふうん。それは不思議だな。今までシュウが連れてきた友達で、あなたほどシュウに雰囲気の似てる子は見たことがないよ」

沙世子は驚いた。似てる？　あたしと彼が？

沙世子は紅茶を飲みながら、店の主人と話をした。

それにしても、あんなに話を聞きたがってたくせに、どこに行っちゃったのかしら？

「おじさん、秋くんどこに行ったの？」

「学校だって」

「学校？」

その時、沙世子は嫌な予感がした。

それは、あまりにもあっけなかった。

たてつけの悪い、鍵があってもなくても変わらないような部室に入るのはとても簡単だった。机の上に散らかっている、ノートや漫画雑誌を少し集めて、何箇所かに火をつけるだけでおしまいだった。

戸を閉めると、中で何かのじわじわ広がっていく気配がして、それだけで十分成果のあがっていることがわかった。

美香子はそのあっけなさに気抜けしつつも、晴ればれとした表情で、二、三歩あとずさって部室を眺めた。

（なあんだ、たったこれだけのことなの）

きのうまでの、イライラしたり、うじうじ悩んだり、いじらしいような気持ちで秋に憧《あこが》れを持っていたのが嘘《うそ》のようだった。

美香子は笑いだしたくなった。このオンボロ部室がなくなって、いったいどんな顔をするかしら。彼女は、生まれて初めて味わうとろけるような高揚感でいっぱいだった。

世界は彼女のものだった。今ならなんでもできるような気がした。

彼女は、自分のやりとげたことをじっくり見届けようと、どこかここから離れた見晴らしの良い場所を求めて駆け出した。

職員室に行こうとして校内に入ったのに、秋の足はいつのまにか部室に向かっていた。

この学校は、もともと古い城跡だったというだけあって、四方を崖に囲まれている。『く』の字型をした敷地内にはいくつか段差があり、『く』の字の下の部分に近付くに従ってだんだん低くなっていた。『く』の字の上の部分が校舎で、下の部分が校庭であり、その真ん中辺りの中くらいの高さのところに部室長屋が建っている。おのおのの段差の境目には防風林が植えてあるため、校舎の方からは全く見えなかった。

だから、秋が最初に異変に気付いたのは、校庭に向かうゆるやかな坂道を降りてしばらくして、部室が見えてきてからだった。

パチパチ、パチパチ、と何かのはぜるような音がし、きなくさいにおいを嗅《か》いで初めて、秋は何かが燃えているということに気付いた。

部室の全貌《ぜんぼう》が目に入った彼は、自分の目の前で起こっていることが信じられなかった。

部室が燃えている。

秋はあぜんとした。ものすごい煙がたちのぼっている。

通報しなければ、と真っ先に思った。このところ雨が降っていない。今朝も異常乾燥注意報が出ていたのを、不意に思い出した。彼は走り出そうとしたが、次に浮かんだ考えがものすごい大きさで頭の中にこだまして、彼を立ち止まらせた。

マニュアルが燃える。

秋は雷に打たれたようになった。彼はくるりと向きを変え、一目散に部室に向かって駆け出した。

学園祭実行委員会室は、まだ火が回っていなかったが、ものの焦《こ》げるすさまじい匂《にお》いとどす黒い煙が充満していた。壁の羽目板の向こうに明るい炎の色が見える。秋は狂ったように床にはいつくばり、戸棚に飛び付いた。むちゃくちゃに鍵《かぎ》を突っ込んで回す。煙で目から涙を流し、熱でガラスの割れるぞっとするような音を聞きながら、扉をこじあけ、暖かくなった海苔《のり》の缶ごとマニュアルを取り出した。炎の音というのがこれほど暴力的で恐ろしいものとは、管理された火しか知らない彼には思いもよらなかった。乾燥し、老朽化してスカスカだった壁や天井が、待ってましたとばかりに次々とすさまじい速さで燃え出している。秋ははいつくばって外に転がり出たが、そこでもっと信じられないものを見た。

――犬が。

十四以上もの、黒々として大きな、一見していかにも獰猛《どうもう》そうな顔付きをした野犬が、唸《うな》り声を上げながら辺りを取り囲んでいた。

秋は直感した。こいつらは、少年たちを襲った犬だ。

炎と煙にいぶされながら、再び血だらけの河原が目の前に浮かび上がった。

いやだ！――あの時の、恐怖と苦痛に弛緩《しかん》しきった少年たちの顔、涙とよだれを流して呆《ほう》けた顔の少年たちが脳裏に蘇る――腕を噛みちぎられたんだってさ！　秋は気の遠くなりそうな恐怖を感じた。と、一匹が突然体当たりをしてきた。秋は力いっぱい腕で振り払ったが、その手応《てごた》えの重さにゾッとした。それを合図に、犬たちは次々と秋に襲いかかってきた。マニュアルの入った缶で犬を殴り、足で蹴《け》っとばし、拳骨《げんこつ》で振り払いながらも、彼は追い詰められ、部室に囲まれた狭い中庭に逃げ込まざるを得なくなった。

しかし、そこも既に安住の地ではなかった。秋の頭や顔は、炎の熱で焼け付くようだった。百葉箱はもはや大きな松明《たいまつ》と化し、温室は熱で溶け、もともと水の少なかった観察池は煤《すす》だらけに干上《ひあ》がっていた。今や、部室全体に火が回り、中庭にいる秋は、炎の煙突の中に立っているようだ。火の輪をくぐるライオンってこんな心境なんだろうか、と一瞬くだらないことを考えた。中庭の真ん中にうずくまり、唯一《ゆいいつ》の通路から外をうかがう。その先には目を光らせた犬どもが、彼がそこから出てくるのを待ちかまえていた。

しかし、ここにいても、蒸し焼きとなるか、崩れ落ちる部室の下敷きになるのは時間の問題だった。汗で目が見えない。手に持っているマニュアルの入った缶が、もう素手では持っていられないほど熱くて、思わず手から取り落としてしまった。缶は地面にぶつかり、ぱかんと音がして蓋《ふた》が外れ、中からマニュアルが飛び出した。その時、バアンと何かの爆発する音がして、近くの窓枠がふっとび、爆風が秋をなぎたおした。物理化学部の薬品か何かに引火したらしい。地面に突っ伏した彼は、数メートル離れたところで、あのマニュアルが、ゆっくりと燃えていくのを見た。一枚一枚と、めくれるように、舐《な》めるように、炎がページを焼き尽くしていく。

——おしまいだ。

秋は泣きたくなった。汗か涙か分からぬもので、目が曇るのを感じた。そして、その瞬間、焼け落ちて行く壁の向こうに、彼は幻を見たような気がした。

一段高いところにある校舎の屋上に、誰かが立っているのだ。錯覚か？——いや、誰かが立っている。

すさまじい陽炎《かげろう》と煙の遥《はる》か上に、一人の少女が立っているのが見える。秋は朦朧《もうろう》とする意識の中で、その少女が笑っているのを見た。そんな、今さら！　こんな真冬に。

そうか、あれが二番目のツムラサヨコか。

突然理解した。

そうか、わかった、津村は『サヨコ』をやめさせるために来たんだ。

一瞬、全《すべ》てを悟ったような気がした。

そう、次はこの学校に対して怒るわね。そんなつまらない行事に関わったばっかりに、ってね。

沙世子の声が頭の中に響いた。

そうか、彼女は全てを終わらせるために、『サヨコ』という行事に終止符を打つべく現れたんだ。――うん、分かったよ、津村。

秋は地面にはいつくばったまま、頭の中で沙世子に話しかけた。

沙世子はせきたてられるように学校への坂道を駆け登った。

チラ、と紺色の人影が、木々のあいだを走ってゆくのが見えた。

美香子だ、と沙世子は直感した。そして、かすかにのぼる煙を見て、何が起きたのかを悟った。

こんなに早くききめが表れるなんて。

沙世子は小さく舌打ちした。彼女は、いつか美香子がそれをするであろうことを知っていたが、もう少し先のことだと思っていたのだ。

沙世子は青ざめながら走り続けた。校門のそばにある電話ボックスで迷わず一一九番通報をして、彼女は一目散に部室の方へと走っていった。

炎のはじけるすさまじい音に迎えられる。沙世子は目の前で激しく炎上する部室を見、周りにたむろする犬たちを見て、あの中に秋がいることを確信した。

頼むから教えてくれよオレはどうしても知りたいんだよ秋くんなんかあまりにも輝け

る未来と可能性が彼を待ってるのが見えて見えて羨《うらや》ましくて妬《ねた》ましくて津村はただの女の子じゃないよ津村だったら思いっきり化けて出そうだなあぶんなぐってやりたくなるわポーカーフェイスで大人びてて近寄りがたい人だけどなあ津村ほんとうのことを教えてくれよみんなあこがれてる彼になあ津村ほんとうのことをほんとうのことを

――知りたがりで観察好きの彼、あのシニカルな笑顔、素晴らしい未来と可能性が待ち受けているはずの彼の人生が、ここでブツリと断ち切られる、どおんと幕が降り、彼はいなくなる、誰かが黒い碑を建てる、関根秋、享年《きようねん》十八。何も残らない、彼の優秀な頭脳も、しなやかな身体も、好奇心に溢《あふ》れた瞳《ひとみ》も、全部焼け落ちてしまう。

「いや！」

沙世子は大声で叫んだ。血相を変えて近くの水飲み場に飛び付き、固いゴムホースを蛇口にさしこもうとした。固くてホースがはまらず、沙世子はパニックを起こしそうになった。やっとホースがはまってからも、栓をいっぱいに開き、長いゴムホースの先に水が届くまでの時間、沙世子は気が変になってしまうのではないかと思った。

「行きなさい！　行くのよ！」

沙世子はホースの強い水圧に顔をしかめながら、犬たちを追い払いにかかった。狩りを邪魔された犬たちは、沙世子に低い唸り声を上げた。

「おまえたち、行きなさいったら！」

沙世子は鋭く叫んだ。しかし、犬たちは険悪なまなざしで沙世子に向かって歯をむいた。こんなはずは。沙世子は焦《あせ》った。犬たちは執拗《しつよう》に獲物を求めていた。

「行きなさいってば！」

沙世子はめちゃくちゃにホースを振り回し、すさまじい勢いでほとばしる水で犬たちを散りぢりにさせた。

犬たちがようやく去り始めたのを横目に、沙世子はホースを引っ張って、部室のかろうじて残っている通路に駆け寄った。いるならあそこにいるにちがいない、秋ならば、きっと。

「秋くん！」

炎の音と勢いは凄絶《せいぜつ》だった。

「出てきて！　秋くん！」

――秋はハッと顔を上げた。

どのくらいの時間が経過しているのか分からなかった。秋は、自分が一瞬気を失っていたのに気付いた。相変わらず顔は焼けるように熱く、炎の轟音《ごうおん》が彼を包んでいた。顔を上げた彼は、通路の向こうで誰かがこっちを見ているのに気付いた。

あれ、津村だ。オレにとどめを刺しに来たのかな。

じっとその姿を見ているうちに、どうやらそうではないことに気が付いた。沙世子は地面にひざをついてこっちを覗《のぞ》き込み、彼を呼んでいるのだ。手に水の溢れるホースを持って、彼を呼んでいる。沙世子のスカートはびしゃびしゃだ。取り乱して泣きべそをかいた必死の形相が大きくパッと目に入った。それは、秋が知っている彼女の、今までのどの表情よりも美しく見えた。

美人の取り乱した顔っていうのもいいもんだなあ。

秋は焦点の定まらぬぼんやりした頭でそんなことを考えながら、よろよろとコートを脱いで、頭からかぶると匍匐《ほふく》前進した。崩れた木のかけらや、屋根の破片がバラバラと容赦なく降りかかってくる。

狭い通路はもう天井が崩れかかり、ほとんど這《は》い出す隙間《すきま》がなくなっていた。秋は力をふりしぼってヨロリと立ち上がると、両手で顔をかばいながら全身に残った力をこめてそこを突っ切っていった。

秋が火だるまで飛び出してきたとき、沙世子はパニックを起こしそうになったが、燃えているのは秋のかぶっているコートだけだと気付いてぐっとこらえた。秋はコートを投げ捨てたが、シャツの背中にまだ火がついていて、彼は地面に身体《からだ》を投げ出して転がり、沙世子はホースを振り回して水をかけまくった。

背中の火が消えて、秋も沙世子も息を切らしながらその場にへたりこんでいた。

ようやく、消防車の複数のサイレンがけたたましく近付いてくるのが遠くから響いてきた。

その時、**バン**、とまた爆発音がして、二人はビクッと身体を震わせた。それは、今度こそ完全に部室の残骸《ざんがい》が崩れ落ちて、平べったい瓦礫《がれき》へと変わっていく音だった。

「秋くん、背中が」

秋の焼け焦げたシャツにふと目をやった沙世子は思わずゾッとして悲鳴をあげそうになった。手で口を押さえてかろうじてこらえたものの、沙世子の目からはボロボロと大粒の涙がこぼれだし、我慢しきれずに彼女は声を上げて泣き出した。激しく泣きじゃくりながらも、沙世子は這って秋の方に近付いていくと、秋の背中にホースで水をかけ始めた。秋は痛みにウッ、と身体を震わせた。やけどした皮膚とシャツがくっついているらしい。

「――屋上に人がいたんだ」

秋はもう、熱いんだか、冷たいんだか、痛いんだかよく分からなかった。

「黙って！」

沙世子は泣きながら叫んだ。

が、ふと、彼女は何かにつられて上を見た。

沙世子はぞっとした。確かに彼女も屋上に女の子を見たような気がしたのだ。セーラー服姿の、髪の長い――彼女は目を凝らした。しかし、もうもうと立ちのぼる煙でその人影はかき消された。

――何？　今のは？　だれ？

沙世子は混乱した頭で考えながら、震える手で、地面に放り出してあったカバンからブルーグレイのマフラーを取り出して、地面に突っ伏している秋の頭の下に敷いた。秋はそのふわりとした温かい感触に安心して目を閉じた。まぶたの裏に、なぜかきのうの、燃えるクリスマス・ツリーの姿が浮かび上がった。あの炎はあんなにきれいだったのに。

「マニュアルが燃えたんだ」

秋はポツリと呟《つぶや》いた。

「俺、持ち出したのに。俺の目の前で燃えたんだ」

「秋くん、もういいのよ」

沙世子は目をこすりながら、秋の焼けただれた背中に水をかけ続けた。

――マニュアルが燃えた。これでおしまいだ。だから、許してくれるよな？　これでいいだろう？

秋は人がザワザワと走り寄ってくる気配をどこかに感じながら、屋上で見た人影に、心の中で話しかけ続けた。

火事騒ぎのおさまった、十二月三十日の午後。職員室の中は、疲れた空気と煙草《たばこ》の煙でどんよりとしていた。

三年生の担任たちは、今日も出勤していた。

「結局、漏電ということになったようですねえ」

「前々から、漏電の危険性があるから早く建て替えてくれと何年も申請してたところだから、県の方も大慌《あわ》てらしいですよ。来年早々にも新しい部室の予算がおりそうだって」

教師たちはボソボソと世間話をしていた。

黒川は、ワープロの画面を見つめていた。

印刷、の画面が出て、彼は実行、を押した。

ウィーン、と間の抜けたプリンターの音がして、画面の文字がプリントアウトされていく。

「どうですか、黒川先生。上達しましたか？」

ニヤニヤしながら数学の月岡が近付いてきた。

「いやー、へんな神経が疲れますわ、ほんとに。疲れてくると打ち間違いは増えるし、そうするとますますイライラしちゃって精神衛生上悪い」

黒川は肩をほぐした。

アハハと笑いながら月岡はワープロを覗き込んだ。

「いいですね、このワープロ。いくらだかきいてもいいですか」

「いや、それがね」

黒川は煙草に火を点《つ》けた。

「うちのクラスの津村、御存知ですよね、あの子の父親が電機メーカーの営業部長なんですわ。研究熱心なのはいいんだが、しょっちゅう新しい機種に買い替えるんでうちの中がワープロだらけで困ってる、先生前のを買ってくれないかと言うんですよ。津村は中古だからいいんだと言うけれども、ずいぶん安くしてくれたらしいですよ」

「へえー、そりゃ良かったですねえ」

黒川はのんびりと煙草を吸うと、プカリと煙を吐いた。

ゆっくりと煙が天井へ拡散していく。

黒川は、煙草の煙の向こうにワープロの画面を見ながら、ぼんやりと、机の引き出しの奥にしまってある革の袋のことを考えていた。その、色が飴《あめ》色に変色してしまった古い革の袋には、いくつかの同じ鍵が入っている。そう、あの花瓶の入った戸棚の鍵が。

彼は回想する——この長い年月のことを。次々と通り過ぎていった生徒たちの、万華鏡《まんげきょう》のようにきらめくさまざまな表情。彼を魅了する、おそらく生徒たちの一生のうちでも、一番美しい季節の一つであろう、新鮮な感情の輝き。彼はそれをじっと眺めている。

――そして、彼はときどき、ちょっとした思い付きを実行に移す。何か深い意味があるわけではない。小川の流れに石を投げたり、竹竿《たけざお》を立てたりすると、ちょっと波が起きたり、流れがほんの少し変わって、いつもと違う川岸を削ったりする――あまりに澄んだ流れを見ていると、思わず手を流れの中に入れてみたくなる。それと同じことだ。ただ、ちょっとしたことをやってみて(例えば、彼がこっそり作っておいた戸棚の鍵の合鍵を誰かに送ってみたり)、その流れが変わったり、少し渦を巻いたりするのを見守っているだけなのだ――ただ、きれいな渦や愛らしいさざ波を見るだけでよいのだ。それだけで彼は満足する。自分が流れにほんの少し細工をしても、なおかつ淀《よど》みなく川は流れ、やがては全てもとに戻っていくという事実だけで。

再び、春

卒業式の三日前に、秋《しゅう》は加藤から速達を受け取った。

封を切ると、中にもう一枚、加藤宛《あ》ての封筒が入っている。

その中には、サヨコの成り立ちと変遷《へんせん》と、何をしなければならないかをしかつめらしく書いた汚い字の手紙と、西暦を書いて丸をつけた紙が入っていた。

なるほど、これが例の手紙の現物か。加藤も意外と几帳面《きちょうめん》な奴《やつ》だな。

——どうしよう。

秋は迷った。机の上にぽん、と封筒を置き、頭の後ろに腕を組んで天井を見上げる。

壁にかかった学生服と、ブルーグレイのモヘアのマフラーが目に入った。結局、あのマフラーは秋のものになったのだった。

幸運なことに、彼は入院せずに済んだ。

頭の下に沙世子のマフラーを敷いたまま、彼は病院に運ばれたが、一番ひどい背中のやけども、その面積が思ったよりも狭かったのと、沙世子の有無を言わせぬ荒療治が功を奏して、植皮をせずに済んだのである。

夜遅く、腕や頭を包帯でぐるぐる巻きにされ、抗生物質や軟膏《なんこう》を山ほど抱えて帰ってきた秋と母を、自分で買ってきたクリスマス・ケーキを大きく切り分けて食べていた父が迎えた。

息子が大ケガして帰ってきたのに、のんびりクリスマス・ケーキなんか食べてるなんて、と母は怒りの抗議をしたものの、お茶をいれるためにぱたぱたと台所に駆け込んでいった。

——どうしましたね、秋くん。『お客さん』にでも噛《か》みつかれましたか?

父は、指についたチョコレートを舐《な》めながら尋ねた。

——うん、そうみたい。でもね、『お客さん』は、実は『お客さん』じゃなかったんだよ。やっぱ、ほんとうは僕たちの方が『お客さん』だったんだ。

——へえ?

——僕ね、分かったんだよ。やってくる訪問者にとっては、僕たちなんか『限りなく悪意に満ちたお客さん』に見えるんだよ、きっと。

父はケーキをほおばり、それきり何もきかなかった。

年が明けて、秋が沙世子のマフラーをして登校してきたとき、由紀夫と雅子はすぐにそのことに気付いたが、何も言わなかった。そして沙世子も何も言わなかった。

由紀夫たちは二人がうまくいってるのだ、と思っていたようだったが、その実、新年になってから、秋と沙世子はほとんど口をきいていなかった。また、お互いにその必要も感じていなかったのだ。

それでも、秋は毎日沙世子のマフラーをして登校してきたし、受験会場にも必ず、お守りのようにそのマフラーを持っていった。

『ビアンカ』の主人が、二人揃《そろ》って店に来るのを楽しみにしていたのだが、それもどうやら実現せずに卒業することになりそうだった。

何かが駆け抜けていくように、あっというまに一月と二月が過ぎていった。

秋はぼんやりと机の上の封筒を見つめた。

——ま、いいか。池に石ころを投げたからって、あとでその石を拾うわけじゃないもんな。

秋は一階に降りて、母親に白い封筒を分けてもらうと、そこに例の手紙を移した。西暦を書いた紙は、去年で終りになっていたので、今年の数字を書き加えた。

えーと、鍵《かぎ》は、と。

引き出しをあけた秋はギクリとした。ない。へんだな。冬休み前にはあったのに。どうやら、暮れの大掃除をしたときに、どこかへやってしまったものらしい。

秋は真っ青になった。どこにやったのか全く思い出せない。

彼は、机の全部の引き出しを床の上に取り出し、中身を広げ始めた。

小さなブルドーザーが地ならしをしている。花壇を作るのだ。

新しい部室は、もう完成していた。二階建ての、味も素っ気もないプレハブ建築だが、これでも前より多い、二十四の部室が入るのだそうだ。

設楽《しだら》はじっと、動くブルドーザーを見ていたが、ゆっくりと新しい部室に入っていった。これから部室の割り当てを決めるので、まだどの部屋も、ドアのネームプレートに名前が入っていない。

廊下も壁もやけに真っ白く、新しい建物の匂《にお》いがぷんぷんした。

一番はじの部屋のドアを見て、設楽はおやと思った。

学園祭実行委員会
その部屋だけ既にネームプレートが入っていた。

設楽は戸をあけて中に入った。長椅子《ながいす》と、テーブルと、スチール製の戸棚だけが、いかにもこれだけ入れといてやるよ、という感じで置かれていた。窓からいっぱいに光がさしこんでいて、部屋の中はとても暖かかった。

ひえー、こりゃあ夏は暑いだろうなあ。気の毒に。

設楽は顔をしかめ、何気なくスチール製の戸棚の戸をあけた。

その瞬間、デジャ・ヴュが押し寄せてきた。

その戸棚の中には、四角い缶が置かれていた。

自分の目が信じられなかった。彼は、震える手でゆっくりとそのクッキーの缶に手を伸ばし、蓋《ふた》をあけた。

学園祭実行委員会実施要綱

そこには、黒々とした印字も新しい、ワープロで打たれた、あのマニュアルが入っていた。設楽は缶からそれを取り出し、両手で持った。どのページにも、一番上に、細く引かれた四センチくらいの線が入っていた。急に、文字が見えなくなった。

この三年間の歳月が一気に自分の中に逆流してくる。

桜の木の下をくぐりぬけ、新しい学生服に身を包み、校内を走り抜ける。友人たちの喚声、同じ話を繰り返す教師、暗い廊下、蒸し暑い実行委員会室。机の傷、木洩《こも》れ日、錆《さ》びた水道の蛇口、紙パックのコーヒー、桜の木の下、暗い部室、暑い夏、寒い廊下、そしてまた桜――彼は自分が大きな輪の中にいるのを感じた。

設楽は、懐《なつ》かしくも新しいそのマニュアルを手に持ったまま、じっと立ち尽くしていた。

卒業式は滞りなく終わり、今、卒業生たちは順々に外に出ていくところだった。なんとまあ、卒業式というのもあっけないものなんだろう！　彼らは、一様に気抜けしたような、無邪気な子供のような顔をしていた。

二年生が一人ずつ列を作って出口のところに待機し、外に出てゆく卒業生に、順番に花を渡している。長い長い拍手が講堂の中に響き渡っていた。

秋は歩きながらやきもきしていた。卒業式のあいだじゅう、気が気でなかった。

彼は、ついにあの鍵を見つけ出すことができなかったのである。

実行委員会室の鍵をすり替えたバチが当たったんだろうか？

彼はいろいろと手段を考えた。花瓶の入った戸棚の鍵穴から型をとろうと真剣に考えたが、時間はないし、今さらのこのこ出かけていくのはあまりにも目立ちすぎる。

そして、彼は、沙世子に「君が首に下げている鍵を貸してくれ」と言おうかとまで考えたのだが、どうしても言うことができなかったのだ。

ええい、くそ。マニュアルもなくなっちまったし、鍵はなくしちまうし、どうすりゃいいんだ！　この俺が、サヨコを終わらせる非常に名誉ある大役をいただいてしまったわけか？

既に、六組までが出ていってしまっていた。

津村沙世子は拍手に溢《あふ》れる講堂の中の通路をゆっくりと進みながら、ぼんやりとさまざまなことを思い起こしていた。

まずはじめに――高校二年の冬、神戸であの手紙を受け取った日のことを。

父の転勤が決まり、沙世子と母は神戸に残るかどうか迷っていた。沙世子の通っていたN高は、全国でも指折りの名門校だったからである。

そんなある日、沙世子はあの不思議な手紙を受け取ったのだった。

封筒の裏には、差出人の名前はなく、父の転勤先の市にある、ある公立高校の名前が書かれていた。そして中には、古びた鍵と、長い手紙が入っていた。

「――こんなゲームを御存知であろうか。まず、トランプのカードを用意する。ゲームに参加する人間が八人ならば八枚。中に、スペードのジャックとジョーカーを混ぜておく。その八枚のカードを裏返しにして、一人ずつカードを引く。――」

こんな書き出しで始まったその手紙の中の学校の、サヨコの物語に、沙世子はすっかり魅了された。幼い頃から想像力豊かで才気にあふれ、さまざまな冒険物語にあこがれてきた彼女は、自分と同じ名前を持つ、その学校の物語のヒロインとなることに強く惹《ひ》かれたのである。その長い手紙についていた学園祭実行委員会のマニュアルや、代々のサヨコに送りつけられるという手紙の内容に、その日から沙世子は夢中になった。そして、彼女は父についていく決心をしたのだった。

沙世子はぼんやりと、初めてこの学校にやってきた日のことを思い出した。鎖をつけて、首に下げてきたこの鍵が、あの古びた戸棚の鍵穴にピタリと合ったときの、あの興奮！　花を抱えてきた加藤が、泡を食って逃げ出したときの、あの表情！　彼女は自分の一挙一動が、さまざまな波紋をひきおこすのが面白くてたまらなかった。校庭に降りていくと、手紙にあったように、あの黒い碑があった。沙世子はその黒い碑に刻まれた、二番目のサヨコであったという少女が自分と同じ名前であるのを見たとき、笑いがこらえきれなくなった。

そう、あなたがあたしを呼んだのね。わざわざこんなところから。わかったわ、せいぜい楽しませてもらうわよ。あたしが今年のサヨコになってやる。

沙世子は、あのときの自信に満ちた自分の笑い声を思い出した。

あのとき、なんてあたしは気分が高揚していたことだろう。

しかし、今となってみれば、彼女はなんの興奮も感慨もなかった。あの、屋上の人影。

――結局、あたしはあの二番目のサヨコに使われたのだ――彼女は苦い敗北感を味わっていた。そして、心の底からわいてくるもう一つの疑問が抑えきれなくなった。けれど、もしかすると、二番目のサヨコも呼ばれたのではないか？　その疑問は、今や、はっきりと彼女の心の中に形をとりはじめた。

二番目のサヨコであるツムラサヨコも、あたしのように誰かに呼ばれてこの学校に来てしまったのではないだろうか？

——いったい、誰に？

沙世子は思わずあたりを見回した。そこには、拍手を続ける幼い顔の下級生たちしかいなかった。

ほんとに、あっというまの一年だったなあ。

沙世子は再び考え始めた。

あたしは、いったい何をしてたんだろう。夢でも見てたのかしら。

出口で列を作って待っていた二年生の女の子たちから、キャー津村さんよ、という黄色い声が上がるのが聞こえた。

沙世子はその瞬間、ほとばしるような激しい怒りを感じた。

まあ、この子たちったら、なんてバカみたいな顔してるんだろう？　あたしが今、こんなに叫びだしたいような、噛みつきたいような、泣き出したいような気分でいるってことが分からないのかしら？

あたしだって——あたしだって、いつもみんなと同じところにいたかった。近所の子と——幼馴染み《おさななじ》の子と——同じ場所で、同じ時間を過ごしていきたかった。でも、行かなきゃならなかったのよ！　いつも新しいところへ行かなければならなかった。

これから、大学に行って、また新しい場所、新しい友人、新しい世界。そのあと、今度あたしはいったいどこへ行くんだろう？

前の生徒が花を受け取り、三月の陽光あふれる戸外へと出ていった。

沙世子は、目のぱっちりした、清潔な感じのする可愛《かわい》い女の子から花を渡された。

「津村さん、握手してください」

少女は顔を赤らめながらもはきはきした声で話しかけた。

沙世子はふと、自分でも気付かぬうちに、首に下げていた鍵をはずし、少女の首にかけてやっていた。

「どうもありがと。これ、あげるわ」

「え、いいんですか、うわあ」

少女は嬉《うれ》しさに顔を上気させた。

握手した少女の手を離し、沙世子は外へ一歩を踏み出した。

外の光のあまりのまばゆさに、彼女は何も見えなかった。

由紀夫と雅子は、早春の街を歩いていた。

気の早い、桜の木の枝の先が、赤くなってきている。

二人は無事、同じ地元の国立大学に合格したのだった。

「ね、お昼のニュース見た？　沙世子が映ってたわよ」

「えー？　あ、そうか、今日はひょっとして」

その日は毎年必ずテレビのニュースで取り上げられる、T大の合格発表の日だった。何気なくテレビを見ていた雅子は、沙世子が胴上げされているシーンに目を丸くし、「さすが！」と感心したのである。おまけに、その次に胴上げされていたのは、なんと関根秋であった。

「ゲーッ、あいつらいい度胸してるよなー、二人で一緒に合格発表見に行ったわけ？　T大まで？　あいつらの心臓の強さって、ついていけないものがあるよなあ」

「そりゃあ、沙世子と秋くんですもん」

雅子は自分のことのように嬉しそうだった。

「あの二人なんになるんだろうな、将来」

由紀夫が呟いた。

「秋くんは裁判官かなあ。沙世子は政治家とか実業家ね」

「お友達でよかったな」

二人は笑った。

「結局、あたしたちの学年って、どうだったのかしらね。ほら、毎年合格率で吉か凶かって決めてたんでしょ」

「そりゃあ、大吉に決まってるだろ。俺と花宮が同じ大学に受かったんだから」

由紀夫が当然のごとく言い切ったので、雅子はおかしくなった。

「きっとそうね」

雅子は笑いながら、並んで歩く由紀夫を見上げた。

そこには、もう学生服を着ることのない、少し大人びた青年の横顔があった。


――その朝、彼らは静かに息をひそめて待っていた。

春らしい、柔らかで冷たい陽射《ひざ》しを気まぐれに覗《のぞ》かせながら、厚い雲が彼らの頭上を覆《おお》い、時に低く垂れこめ、あるいは黒く影を落として、ゆっくりと流れていく。

理由のない胸騒ぎが心をかすめるのにも似た風景だった。

彼らの見掛けの姿は、古びて色彩にも乏しい。もはや呼吸をしていないのではないかと思えるほどだ。しかし、そのしなびた皮膚の下には、いつも新しい、温かい血液が豊かに波打っているのだった。

彼らの足元には、やや水量を増したそっけない川が流れている。そのせいか、彼らは空から見ると一本の細い橋につながれた島に見えた。彼らはいつもその場所にいて、永い夢を見続けている小さな要塞《ようさい》であり、帝国であった。

彼らはその場所にうずくまり、『彼女』を待っているのだ。

ずっと前から。そして、今も。
顔も知らず、名前も知らない、まだ見ぬ『彼女』を。

あとがき

この本の、最後に書かれている文章を読んだ方は不思議に思われるかもしれない。

この作品は、一九九二年七月に新潮文庫のファンタジーノベル・シリーズの一冊として発表され、その後大幅に加筆の上、九八年八月に単行本として刊行されたものです。

作者の私もこの文章を見て、月日の経《た》つのは早いものだとちょっと感傷的になった。最初に勤めていた会社を辞めて、三週間くらいで書いたこの小説が第三回ファンタジーノベル大賞の候補になり、酷評されてあっさり落選し、文庫として世に出たもののすぐに絶版になった。

今となっては、むしろ早々に絶版になったことで「幻の小説」という付加価値がついたのではないかと思われる。この最初の文庫版で読んでくれた方々が、辛抱強く熱心に口コミで宣伝してくれたお陰で、今日の私があるのだとしみじみ思う。

特に、単行本の解説まで書いて下さった綾辻行人《あやつじゆきと》さんと、あちこちで勧めて下さった小野不由美さん、そして、この本イコール私の小説を一番最初に読んで世に出してくれた大森望さんには改めて御礼を申し上げたいと思います。

この小説は衝動的に書き上げたもので、それまで経験もなかったのに、なんであの時こんな小説を書いたのか今でもよく分からない。今読み返してみても、こんなの二度と書けないと思うし、それでいて既に私らしいところは全部入ってるなあと思う。

もともと、かつて放映されていたNHKの少年ドラマシリーズへのオマージュとして書いたつもりだったが、この春NHKで、少年ドラマシリーズと似たような枠でドラマ化してくれた時も、ディレクターが偶然大学時代の友人だったり、スタッフも皆同世代で少年ドラマシリーズファンだったりして、つくづく世界は繫《つな》がってるなあと思った。

私は小心者で、人をがっかりさせちゃいけないという強迫観念があるせいか、なかなか読者の皆さんに御礼の言葉が言えないでいるのだけれど、これまでお手紙をくださった皆さん、そして何も言わずにいつも読んでくださっている皆さん、本当にどうもありがとうございます。ここまで私を小説家として育ててくださった皆さんには、やはり、しんどいけど少しでも面白い小説を書いてお返しするしかないと思っています。

最後になりますが、たいへんたいへんお忙しい中、解説をお引き受けいただいた岡田幸四郎さん（先輩！）、見捨てず気長に応援して下さった新潮社の皆さん、どうもありがとうございました。

ではまた、次にお目に掛かれる日を楽しみに。

二〇〇〇年十二月

恩田陸

解説

岡田幸四郎

〈劇場があって劇が演じられるのではない。劇が演じられると、劇場になるのである。／つまり劇場は「在る」のではなく「成る」ものなのだ〉

かつて寺山修司は、自らの率いる演劇実験室・天井桟敷《てんじょうさじき》による初の市街劇『人力飛行機ソロモン』（一九七〇年）の作品ノートで、こんなマニフェストを掲げた。

寺山の考える市街劇の構造は、こうだ。

〈はじめ路上、あるいは広場で、一人の俳優と一人の観客とが出会い、チョークで劇場を作る。「一メートル四方一時間国家」が、次第に「二メートル四方二時間国家」「四メートル四方八時間国家」と拡大化されてゆき、日没時には街全体が劇国家の中で虚構化をはたすという構造を内包するものであった〉

——本書『六番目の小夜子』をすでに読了された方なら、思わず「あれ？」とつぶやいてしまうのではないだろうか。たとえば〈路上〉を〈廊下〉に、〈広場〉を〈教室〉に、そして〈街〉を〈学校〉に置き換えれば、寺山の言葉はそっくりそのまま『六番目の小夜子』に重なり合うのだから。

寺山は言う。

〈街は、いますぐ劇場になりたがっている〉(以上、引用は『寺山修司の戯曲7』より)

ならば、これもまた、言葉を一つだけ置き換えておこう。

〈学校は、いますぐ劇場になりたがっている〉


地方の進学校に伝わる奇妙な伝説をめぐる、不安と恐怖とせつなさと爽《さわ》やかさと愛《いと》おしさに満ちた物語『六番目の小夜子』は、表象的には高校生の群像劇として描かれている。

だが、高校生たちの、そこだけを取り出しても心地よい青春小説の一コマのおしゃべりに、そっと、じっと、聞き耳をたてているものがいる。高校生たちもまた、その存在に気づいて……いや、気づかされている。

物語の冒頭近くに、こんな一節がある。

〈学校というのは、なんて変なところなのだろう。同じ歳《とし》の男の子と女の子がこんなにたくさん集まって、あの狭く四角い部屋にずらりと机を並べているなんて。なんと特異で、なんと優遇された、そしてなんと閉じられた空間なのだろう〉

その〈閉じられた空間〉のなかで、物語は繰り広げられる。間違いない、物語の舞台は学校だ。しかし、それは決して固定されたステージではない。うごめく。ざわめきたつ。いざなう。惑わす。まるで、舞台そのものが物語を発動させ、あるいは召喚しているかのように。

学校は、だから、この物語の決して顕在化しないもうひとりの主人公でもある。

著者は、学校という〈閉じられた空間〉〈物語の鍵《かぎ》を握る場所・古い木造の部室長屋の建物が「ロ」の字形をしているのも示唆《しさ》的ではないか〉に流れる時間について、繰り返し筆を割いている。

〈何千人、いや何万人もの生徒たちが過ごしてきたこの古い校舎には、中で過ごしているだけで、それはもう雰囲気としか言えないもの――この場所に染《し》み付いているエネルギーとしか言いようのないものが忍び込んでくる〉

〈何千という数の、たくさんのうちの在校生、卒業生たちがこの物語を聞いているとは。しかも、その物語は一つ一つ微妙に違い、さらに少しずつ変化したさまざまな物語を毎日生み出し続けているのだ〉

〈俺のような、余計なことを考え、こそこそと探り回る第三者をもってして、このサヨコという行事が何年も継続してきたのではないだろうか。こうして学校というこの閉じた世界はぐるぐると永遠に回り続けているのではないだろうか――〉

〈学校というのは回っているコマのようなものなんだな。いつも、同じ位置で、まっすぐ立ってくるくる回っている。（略）コマはずっと同じ一つのコマだけど、ヒモを持つ人間、叩《たた》く人間がどんどん変わっていくわけだな〉

いっぽう、学校に通う生徒たちの時間はどうか。著者はこちらについても丁寧に、慈《いつく》しむかのような筆致で、何度となく書きつける。

〈高校生は、中途半端《はんぱ》な端境《はざかい》の位置にあって、自分たちのいちばん弱くて脆《もろ》い部分だけで世界と戦っている、特殊な生き物のような気がする。この三年間の時間と空間は、奇妙に宙ぶらりんだ。その宙ぶらりんの不安に、何かが忍び込んでくる〉

〈第一回目の進路相談会。運動会。中間テスト。／学校というのは、そういったシビアなものと、牧歌的な儀式とを、同じレベルで交互に平然と消化していく。淡々とこなされていく行事のあいだに、自分たちの将来や人生が少しずつ定められ、枝分かれしていっているということに生徒たちは気付かないのだ〉

〈いきなり増えた実力テストの間の日にちを数え、日曜日には模擬試験に出かけていく、ということを繰り返しているうちに、いつのまにかしっかり『受験生』という囲いの中に追い込まれていることに気付く。こんなはずではなかったのに、と走り続ける彼らは、息を思い切り吸い込んだまま吐き出せないような状態で毎日を消化していた〉

学校の時間と生徒の時間は、明らかに異なっている。学校——作品中の言葉を借りれば〈容《い》れ物〉は、毎年卒業生を送り出し、新入生を迎え入れながら、それじたいの形は変わることなくそこに在る。しかし〈容れ物〉の中身、すなわち生徒のほうは、三年たてば否応《いやおう》なしに学校を去らなければならない。たとえ日常的には一週間単位の時間割を繰り返していても、〈気付かない〉うちに、〈いつのまにか〉、彼らや彼女たちは卒業を迎えるのだ。

時が継続し、円環しつつ蓄積されていく学校。
一回性の、直線的な時の中にいる生徒。
いわば、永遠と刹那《せつな》――。
その相反する二つの時の齟齬《そご》が、学校を劇場にする。サヨコ伝説のように生徒の間で代々語り継がれていく伝説やしきたり、儀式といったものは、永遠と刹那の狭間《はざま》からたちのぼってきたのではないか。

そう考えてみると、著者がサヨコ伝説を三年に一度のサイクルに設定したのは、じつに巧みな仕掛けだと言える。作品中で関根秋《しゅう》も看破したとおり、〈今年俺たちがサヨコの年だろ。次にサヨコをやるのは、今中学三年生の奴《やつ》らで、今年のサヨコを見た奴の中でやる奴はいないんだ。（略）毎度オリジナルのサヨコをやっているのと同じ意味があったと思うよ〉。

継続性と一回性を両立させ、円環を断ち切りながらも、しかし確実に蓄積されていくサヨコ伝説は、永遠と刹那との甘美にして不気味な融合だった。

ところが、六番目のサヨコの現れる年、その蜜月《みつげつ》関係は大きく揺らいでしまう。〈邪悪な第三者の介入〉、言い換えれば〈異物〉としての生徒の登場によって……。

ここから先の物語本編についての詳述は、未読の方にとってはそれこそ〈邪悪な第三者の介入〉以外のなにものでもないので差し控えておく。

代わりに、ストーリーの底に見え隠れしているひそやかな構図に接近を試みたい。サヨコ伝説に直面した関根秋たちの、葛藤《かっとう》とせつなさに満ちた、と同時に爽やかさや生命力も横溢《おういつ》する一年間の日々を、学校の時間（永遠）に抗《あらが》う生徒の時間（刹那）の静かな闘いの軌跡――というふうに読んでみたいのだ。


本書に限らず、著者の作品ではしばしば川が重要な役割を果たしている。本書の場合で言うなら、物語の舞台となる学校は〈川の岸辺にそびえる灰色の崖《がけ》の上〉に建っている。あるいは『球形の季節』（新潮文庫）なら、物語の舞台は〈四つの辺のうち三つを蛇行する紅川にゆるやかに囲まれている。町の中にはその支流が血管のように枝分れして流れている〉町だし、『月の裏側』（幻冬舎）はまさに水郷と呼ばれる町が舞台である。川は、もちろんさまざまなメタファーとして解釈が可能だ。それは横断的には異界との境界線であるだろうし、縦断的には異界との回路でもあるだろう。しかし、こと本書においては、川の流れは明らかに、尽きることのない永遠の時と重なり合う。刹那の時を生きる生徒たちは、川の一滴一滴にすぎない。高校の古典の授業でおなじみの『方丈記』の冒頭「ゆく河の流れは絶えずして、しかももとの水にあらず」を思いだしてもいい。

そして、川は、やがて海へと至る。――著者のファンなら、たちまちにして〈遠い海への道のりは、ある日、突然に始まる〉〈海に向かう道は、長くねじれている〉〈すべての道が、海につながっているように見える〉といった海を目指す章題で統一された『不安な童話』(祥伝社文庫)を思い浮かべるはずである。

時間の流れ着く先の、海。それは永遠のメタファーであり、同時に死の(裏返せば生の)メタファーでもあるし、寄せては返す波は反復・継続の、潮の干満は円環のメタファーにもなりうるだろう。

一回性の青春の時間を生きる本書の高校生たちでさえ、学校の時間の呪縛《じゅばく》から逃れる夏休みには、海への思慕を素直に吐露する。

〈「海へ向かう道っていいものね」/(略)/「ふだんさ、街の中でもさ、この道は海に続いてるんじゃないかって思う道ない? 俺さ、学校に来る途中で『ビアンカ』の前通ると、いっつも、この道もう少し行くと海に出るんじゃないかなーって思うんだよな」/「あ、あたしもそう。あそこ、ほんとにそういう感じするよね」/「どうしてだろうなあ」〉作品中ではあえて明示されていない答えを忖度《そんたく》するなら、喫茶店『ビアンカ』が〈歴代の在校生が愛用していた〉店であること、つまり学校と似たような性格の〈容れ物〉だということがヒントになりそうな気はするのだが……。

いずれにせよ、本書における川や海——水は、学校の時間を象徴するものとして機能している。

だからこそ、物語中盤のクライマックスである学園祭の場面、全校生徒が暗闇《くらやみ》の中で一言ずつ台詞《せりふ》を発する劇『六番目の小夜子』の冒頭で、赤いバラを飾った花瓶が〈この学校を象徴している〉と見なされるのではないか。花瓶（容れ物）を満たすものは水（学校の時間）、その中にやがては枯れるバラの花（生徒の時間）が入っている、というわけだ。〈きみが新たにサヨコを凌《しの》ぐものを用意できるのなら、再び赤い花を活《い》けなさい、それができず昔のサヨコを再上演するなら、からの花瓶を置きなさい〉というしきたりの、花の有無の意味するものも明らかだろう。さらに言えば、『六番目の小夜子』のBGMはサティの『ジムノペディ』——古代の祭りの絵を描いた壺を見て作曲したと言われる、永劫回帰《えいごうかいき》を思わせる反復をモチーフとする曲なのだ。

しかし、物語の中の高校生たちは、学校の時間に呑《の》み込まれまいと抗いつづける。劇の上演を知らせるために学園祭の実行委員が桜の木に吊《つる》すてるてる坊主《ぼうず》は、つまり、水

（雨）を遠ざけておくおまじないのようにも読めてしまうのである。

いや、てるてる坊主のレベルにとどまらず、もっと正面から水に対抗しうるものがある。

それが――火。燃やし尽くすという、一回性の時間のこれ以上ないあからさまなメタファーである。

その火が物語でどんなふうに用いられているかについては……〈邪悪な第三者の介入〉は慎んでおこう。

ただ、サヨコ伝説の謎《なぞ》に最も深く踏み込んでいく少年・関根秋の名前に「火」が含まれ、入れ替わる生徒を見つめつづける教師の苗字《みようじ》が「黒川」というのは、なんとも意味深ではないか。ちなみに『球形の季節』には潮見兄弟が登場し、著者の名前じたい、海に相対する陸なのだが、ここまでいくとこじつけが過ぎるだろうか？

もちろん、物語の中の高校生たちだって、自分たちの生きる時間が刹那を連綿とつなぐものでしかないことくらいは知っている。

〈時々、このまま永遠に自分の中に焼き付いてしまうのではないかと思う瞬間がある。今がそうだ。いつかきっと、こんな時間を、こうして隣でだらしなく学生服を着て無防備な顔で話しかけてくる由紀夫の声を、懐《なつ》かしく思う時が来るに違いない〉

たとえ永遠を夢見ても、〈懐かしく思う時が来るに違いない〉と、それは終わってしまうことを前提としている。

〈四人で過ごす夏は『パーフェクト』な感じがした。もちろん雅子と一対一でつきあいたいとは思っていたものの、それよりもこの四人で時間を過ごすことの方が、何か特別で大事なことであるような気がした。そして、こうして四人で過ごせる最高の時間がほんの少ししかないことも、彼は心のどこかで承知していた。たとえ四人が大学生になって再会したとしても、もう二度とこんな一体感、この四人がいるべき場所にいるという、世界の秩序の一部になったような満足感を味わうことはないだろうと〉

だからこそ、いまの、この刹那が、かけがえのないものになる。しかし、そんなかけがえのない一人一人の刹那の物語（story）が、けっきょくは円環する永遠の歴史（history）に呑み込まれてしまうのだとしたら……。

それはたとえば、国家に対する民衆の抗いをも想起させはしないだろうか。あるいは制度に対する個人の抗いにも通底してはいないだろうか。大袈裟《おおげさ》な物言いかもしれない。だが、作品中のきわめて重要なある箇所には（未読の方のために、なんの比喩《ひゆ》であるかを明示できないのが悔しくてたまらないのだが）、〈帝国〉という言葉が刻印されている。帝国主義における時間とは、たとえばグリニッジ標準時のように、外部への（植民地と言ってもいい）権力の拡大の象徴でもあるのだから。

拙稿前半の引用部分に立ち返ってみれば、学校という〈容れ物〉に収められた生徒についての記述が、〈同じ歳の男の子と女の子がこんなにたくさん集まって〉〈何千人、いや何万人もの生徒たち〉〈何千という数の、たくさんのうちの在校生、卒業生たち〉と、数の多さを強調していることに気づく。

〈本格的な大量生産を発展させたのは、ほかならぬ時計産業であった。そこではウォッチが大衆消費財として工業的に大量生産される最初の製品となったのである〉というジャック・アタリ『時間の歴史』の一節を援用すれば、大量生産を旨《むね》とする近代は、まず時間を統《す》べるための時計の大量生産に始まった。そして、学校という〈容れ物〉こそ、チャイムと学期と学年によって強制的に時間を共有させることによって、大量の子どもたちを〈大衆〉の一員として教育し、社会へ送り出していく場なのである。

小阪修平は、『思考のエクリチュール5　地平としての時間』の中でこう言っている。

〈わたしたちをふつうのひとにするためには、まず学校という装置によってわたしたちの身体性をひとつの時間の鋳型《いがた》にはめなければならない。この社会で学校は差異を抹消する役割において、十分に強迫的であり、わたしたちに「学校を出たところで」という認識が深まるのと比例してその強迫性を増しつつある〉（傍点・原文）

本書を既読の方には、ここで学園祭の場面を思い浮かべていただきたい。『六番目の小夜子』の劇が訴えかけていたメッセージは、まさに学校の持つ強迫性への異議申し立てではなかったか。

いや、しかし、このまま管理と自由などという紋切り型に回収してしまっては、著者と物語に礼を失してしまうだろう。

著者は、あまりにも強大な学校の時間に対峙《たいじ》する、無力で愛すべき高校生たちに報いる仕掛けを、学園祭の場面にこっそりほどこしている。

〈――夢のような光景だった、とあとから思い起こす時由紀夫はいつも思った。／（略）墨絵のように暗い空の遠い彼方《かなた》に、砂時計のような形をしたものが、神経質な生き物のように身体を小刻みに揺らしながら、立っていた。／（略）誰かが、ほらきれいだろう、と、わざとここの部分だけ切り取って見せてくれているのではないか、と思った。それほどこの光景には現実味がなかった〉

砂時計――である。円環しない時の流れを刻む、〈流れゆく、漏れゆく、滑りゆく〉（エルンスト・ユンガー『砂時計の書』より）砂時計である。

ユンガーは同書で言う。

〈（砂時計の）上半部では未来なる貯《たくわ》えが消滅してゆき、下半部には過去なる宝が堆積《たいせき》してゆき、そして両者のあいだで現在なる焦点を通って瞬間が飛沫をあげている〉

そんな砂時計のビジョンを、著者は高校生たちに垣間《かいま》見せた。瞬間の飛沫を若い体と心いっぱいに浴びている少年や少女に、文字どおり瞬間の、刹那の、きらきらとした輝きを幻視させたのである。

その刹那の輝きを胸に、彼らは高校生活の最後の日々を過ごす。いくつかの謎が解かれ、いくつかの謎は宙吊りにされ、なにかが消え、なにかがつづいて……彼らは卒業を迎える。

　彼らの時間は、学校の時間に抗しきれたのか。

円環する永遠に裂け目は生まれたのか。

〈邪悪な第三者の介入〉は、やめておく。

　解説子にできるのは、ただひとつ、卒業式の場面の美しさと温《ぬく》もりと、せつなさと愛おしさを、未読の方より一足先に味わうことのできた幸福を嚙《か》みしめることだけなのだから——。

（二〇〇〇年十二月、フリーライター）

この作品は、一九九二年七月に新潮文庫のファンタジーノベル・シリーズの一冊として発表され、その後大幅に加筆の上、九八年八月に単行本として刊行されたものです。

小池真理子著　**水無月の墓**

もう逢えないはずだったあの人なのに……。生と死、過去と現在、夢と現実があやなす、妖しくも美しき世界。異色の幻想小説8編。

小池真理子著　**欲望**

愛した美しい青年は性的不能者だった。決してかなえられない肉欲、そして究極のエクスタシー。あまりにも切なく、凄絶な恋の物語。

酒見賢一著　**後宮小説**
日本ファンタジーノベル大賞受賞

後宮入りした田舎娘の銀河。奇妙な後宮教育の後、みごと正妃となったが……。中国の架空王朝を舞台に描く奇想天外な物語。

酒見賢一著　**墨攻**
中島敦記念賞受賞

専守防衛を説く謎の墨子教団。その俊英、革離が小国・梁に派遣された。徹底的に不利な状況で、獅子奮迅の働きを見せる革離の運命は。

斎藤綾子著　**愛より速く**

肉体の快楽がすべてだった。売り、SM、乱交、同性愛……女子大生が極めたエロスの王道。時代を軽やかに突きぬけたラブ＆ポップ。

斎藤綾子著　**ヴァージン・ビューティ**

あなたと触れ合っている部分から、溶けてあふれて流れ出す私の体。ストレートに快楽を求める女たちの、リアルなラブ・ストーリー。

高村　薫著　黄金を抱いて翔べ

大阪の街に生きる男達が企んだ、大胆不敵な金塊強奪計画。銀行本店の鉄壁の防御システムは突破可能か？　絶賛を浴びたデビュー作。

高村　薫著　神の火（上・下）

苛烈極まる諜報戦が沸点に達した時、破天荒な原発襲撃計画が動きだした――スパイ小説と危機小説の見事な融合！　衝撃の新版。

高村　薫著　リヴィエラを撃て（上・下）
日本推理作家協会賞／日本冒険小説協会大賞受賞

元ＩＲＡの青年はなぜ東京で殺されたのか？白髪の東洋人スパイ《リヴィエラ》とは何者か？　日本が生んだ国際諜報小説の最高傑作。

天童荒太著　孤独の歌声
日本推理サスペンス大賞優秀作

さぁ、さぁ、よく見て。ぼくは、次に、どこを刺すと思う？　孤独を抱える男と女のせつない愛と暴力が渦巻く戦慄のサイコホラー。

天童荒太著　幻世《まぼろよ》の祈《いの》り
家族狩り　第一部

高校教師・巣藤浚介、馬見原光毅警部補、児童心理に携わる氷崎游子。三つの生が交錯したとき、哀しき惨劇に続く階段が姿を現わす。

ねじめ正一著　高円寺純情商店街
直木賞受賞

賑やかな商店街に暮らす、正一少年の瞳に映った「かつてあったかもしれない東京」の佇まい。街と人々の関わりを描く連作短編集。

乃南アサ著　団欒

深夜、息子は彼女の死体を連れて帰ってきた。その時、家族はどうしたか——。表題作をはじめ、ブラックユーモア風味の短編5編。

乃南アサ著　死んでも忘れない

誰にでも起こりうる些細なトラブルが、平穏だった三人家族の歯車を狂わせてゆく……。現代人の幸福の危うさを描く心理サスペンス。

乃南アサ著　凍える牙
直木賞受賞

凶悪な獣の牙——。警視庁機動捜査隊員・音道貴子が連続殺人事件に挑む。女性刑事の孤独な闘いが圧倒的共感を集めた超ベストセラー。

帚木蓬生著　三たびの海峡
吉川英治文学新人賞受賞

三たびに亙って〝海峡〟を越えた男の生涯と、日韓近代史の深部に埋もれていた悲劇を誠実に重ねて描く。山本賞作家の長編小説。

帚木蓬生著　閉鎖病棟
山本周五郎賞受賞

精神科病棟で発生した殺人事件。隠されたその動機とは。優しさに溢れた感動の結末——。現役精神科医が描く、病院内部の人間模様。

帚木蓬生著　逃亡（上・下）
柴田錬三郎賞受賞

戦争中は憲兵として国に尽くし、敗戦後は戦犯として国に追われる。彼の戦争は終わっていなかった——。「国家と個人」を問う意欲作。

坂東眞砂子著
桃色浄土
鄙びた漁村に異国船が現れたとき、惨劇の幕はあがった――土佐に伝わるわらべうたを素材に展開される、直木賞作家の傑作伝奇小説。

坂東眞砂子著
山妣（上・下）
直木賞受賞
山妣がいるてや。赤っ子探して里に降りて来るんだいや――明治末期の越後の山里。人間の業と雪深き山の魔力が生んだ凄絶な運命悲劇。

東野圭吾著
鳥人計画
ジャンプ界のホープが殺された。ほどなく犯人は逮捕、一件落着かに思えたが、その事件の背後には驚くべき計画が隠されていた……。

戸梶圭太著
闇の楽園
新潮ミステリー倶楽部賞受賞
過疎の町のテーマパーク構想とカルト教団の道場建設が真っ向から衝突。破天荒な犯罪をポップに描き続ける著者の衝撃デビュー作！

船戸与一著
砂のクロニクル（上・下）
山本賞・日本冒険小説協会大賞受賞
クルド民族の悲願、独立国家の樹立。その命運は謎の日本人が握っていた。銃は無事マハバードに届くのか。著者渾身の壮大なる叙事詩。

船戸与一著
蝦夷地別件（上・中・下）
日本冒険小説協会大賞受賞
世界が激動する18世紀末。和人に虐げられていたアイヌ民族の憤怒の炎が燃え上がる！未曾有のスケールで描く超弩級歴史冒険大作。

六番《ろくばん》目《め》の小夜子《さよこ》

新潮文庫　お－48－2

平成十三年二月一日発行
平成十八年七月二十五日十二刷

著者　恩《おん》田《だ》陸《りく》
発行者　佐藤隆信
発行所　株式会社 新潮社

郵便番号　一六二—八七一一
東京都新宿区矢来町七一
電話　編集部(〇三)三二六六—五四四〇
　　　読者係(〇三)三二六六—五一一一
http://www.shinchosha.co.jp

価格はカバーに表示してあります。

乱丁・落丁本は、ご面倒ですが小社読者係宛ご送付ください。送料小社負担にてお取替えいたします。

印刷・二光印刷株式会社　製本・株式会社植木製本所

ISBN4-10-123413-2 C0193